Igam Ogam

Ifan Morgan Jones

y Lolfa

Argraffiad cyntaf: 2008

⊕ Hawlfraint Ifan Morgan Jones a'r Lolfa Cyf., 2008

Dymuna'r cyhoeddwyr gydnabod cymorth ariannol
Cyngor Llyfrau Cymru

Cynllun y clawr: Sion Ilar
Darlun y clawr: Adam Fisher

Rhif Llyfr Rhyngwladol: 978-1-84771-091-8

Cyhoeddwyd ac argraffwyd yng Nghymru
ar ran Llys Eisteddfod Genedlaethol Cymru
gan Y Lolfa Cyf., Talybont, Ceredigion SY24 5AP
gwefan www.ylolfa.com
e-bost ylolfa@ylolfa.com
ffôn 01970 832 304
ffacs 832 782

IGAM

PROLOG

Wrth wraidd pob chwedl, medden nhw, mae'r ddiod feddwol, a merch.

Dechreuodd y chwedl gyntaf wrth i Adda lefaru: 'Ew, byddai'r fale 'na'n gwneud seidr go lew. Peidio *bwyta* nhw ddywedodd Duw, yntefe?'

A dyna sut y bu i Adda ac Efa yfed o goeden Gwybodaeth y Da a'r Drwg. Y da oedd y meddwi, y drwg oedd yr hangofyr. O'r dydd hwnnw, roedd i bethau *ganlyniadau*.

Ond, fel ym mhob chwedl, mae'r ddiod feddwol yn cael ei hanghofio, a'r ferch sy'n cael y bai.

* * *

'Os nad oes gen ti fuwch dwyt ti'n neb, Ceredin. Does gen ti ddim hawliau. Fe allai rhywun dy drywanu'n farw ynghanol y llys a byddai'r Brenin yn dweud, "Dim buwch, dim bai".'

'Mi alla i brynu un!' oedd yr ateb ystyfnig.

'Gyda beth?' gofynnodd hi. 'Fi sy'n talu am dy beint di.'

Gwnaeth Ceredin fab Caradog geg gam a thynnu'i gwcwll dros ei ben. Roedd economi ychaidd Ynys y Gorllewin yn ddirgelwch iddo. Doedd dechrau bywyd newydd yno ddim am fod mor hawdd ag roedd wedi meddwl.

Syllodd yn synfyfyriol ar Niahm ar draws bwrdd y dafarn.

'Does gan dy deulu di ddim buwch gallen nhw ei benthyg i fi?'

'Gyrrodd fy nhad i dros y môr gyda deuddeg o'r da byw gorau yn ei dylwyth i chwilio am arglwydd i'w briodi – dim rhyw sbrych fel ti. Dwi ddim yn mynd â ti 'nôl.'

Daeth bloedd o gyfeiriad y bar.

'Fardd!' meddai'r tafarnwr. 'Ty'd yn dy flaen, dwi'n dy dalu di i anwesu dy delyn, nid dy gariad.'

Ochneidiodd Ceredin. 'Be ddigwyddodd i'r gwartheg?' gofynnodd i Niahm.

'Gwnaeth rhywun eu dwyn nhw'r funud gwnes i gamu oddi ar y cwch,' meddai hi. 'Mi fu'n rhaid i mi ddod i weithio yn y twll chwd yma yn lle chwilio am arglwydd.'

'Felly rwyt ti am fynd yn ôl ar dy ben dy hun, hebdda i? Priodi rhyw ynyswr pengoch, blewog?'

'Unwaith y caf i ddigon o arian i brynu cwch, ydw. Ond paid â phoeni,' meddai hi. 'Fyddi di'n saff fan hyn. Does neb yn mynd i chwilio amdanat ti yn y dafarn fwyaf tywyll, drewllyd a budr yn y wlad.'

Roedd y goedwig yn chwysu niwl tew, gwlyb, a hwnnw'n llyfu pob bricsen a thrawst ar wyneb y dafarn. Ond roedd y budreddi i gyd ar y tu mewn, yn grystyn melyn ar y ffenestri.

Dadlwythodd y ddau farchog eu ceffylau gan bwyll, â'r barrug rhewllyd yn crensian dan eu traed.

'Taw!' meddai'r milwr. 'Un smic a bydd pawb yn dianc fel llygod i dwll.' Tynnodd ei gleddyf o'i wain a rhedeg ei fys ar ei hyd, yn llithrig yn y niwl.

'Wyt ti'n siŵr mai fan hyn mae o'n cuddio?' gofynnodd y llall.

Edrychodd y milwr ar arwydd y dafarn uwch ei ben, yn

siglo yn y gwynt main ar golfachau rhydlyd. Arno roedd hen lun o sgerbwd mewn gwisg ddu yn dangos ei goes.

'Wrth gwrs,' atebodd. 'Y Beddrod Anllad, y dafarn fwyaf tywyll, drewllyd a budr yn y wlad. Yr union fan lle byddai Ceredin fab Caradog yn cuddio.'

Cododd ei droed a rhoi cic hegar i ddrws y dafarn, a disgynnodd hwnnw ar y llawr pren yn ddibrotest. Tawodd bwrlwm y dafarn ar unwaith wrth i'r yfwyr lifo'n ôl i'r cysgodion.

'A ydy Ceredin yma?' gwaeddodd y milwr yn groch. 'Ceredin fab Caradog? Dihiryn ydy e, ac mae'r Brenin am ei waed.'

'Wedi bod yn cnychu'r Frenhines?' gofynnodd un o'r meddwon wrth y bar. Chwarddodd rhai o'r lleill i mewn i'w peintiau.

Sgleiniodd cyllyll yn y gwyll.

Roedd y milwr yn adnabod rhai o'r wynebau hanner cuddiedig. Llofruddwyr, treiswyr, anwariaid y goedwig, lladron. Pobl na fyddent yn codi bys i arbed neb arall.

'Mae gwobr o ddeg ceiniog i'r sawl sy'n cyflwyno'r dihiryn i ddwylo'r fyddin,' meddai'r milwr. 'Ac mi fyddwn ni'n ailystyried llosgi'r dafarn yma'n ulw.'

'Allwch chi ddim gwneud hynna!' meddai'r tafarnwr, gan ddod o hyd i'w lais. 'Does gan Frenin y Gogledd ddim awdurdod fan hyn!'

'A phwy fyddai'n ei wrthwynebu, hm?' gofynnodd y milwr, gan gerdded rhwng y byrddau. 'Y Derwyddon? Y rhai sydd wedi'ch gyrru chi i yfed ar gyrion y goedwig yn y lle cynta? Dydw i ddim yn meddwl...'

Gafaelodd yng nghlogyn un o'r yfwyr, ei godi ar ei draed a gwasgu ei wyneb yn erbyn y bar.

'Y gwaradwyddus Ceredin fab Caradog,' poerodd. 'Yn

nwylo byddin ei Fawrhydi o'r diwedd.'

'Ddim yn dy ddwylo blewog di, gobeithio,' meddai Ceredin gan frwydro i ddianc o'i afael.

'Ddim am yn hir, diolch byth.' Galwodd y milwr y dyn arall i mewn i'r dafarn. 'Mae'r Brenin wedi gyrru ei ddienyddiwr gorau'r holl ffordd o Deyrnas y Gogledd i wneud yn siŵr y byddi di'n aros yn farw, tro 'ma. Iestyn, torra ei ben o i ffwrdd!'

Daliodd y milwr ben y bardd ar y bwrdd wrth i'r dienyddiwr dynnu bwyell o'i wregys a'i chodi tua'r nenfwd.

Cododd Niahm ar ei thraed. 'Hei! Mi ddeudoch chi na'i arestio fo byddech chi.'

'Gest ti dy gwdyn aur, yr ast,' meddai'r milwr. 'Dos 'nôl i dy ynys fach ac anghofia am y sbrych yma. Mae'r Brenin eisiau dial ar fyrder.'

Trodd Ceredin ei ben a syllu i lygaid euog Niahm. Yr holl droeon bu'n yfed yn y dafarn hon gyda hi. Ac yntau'n meddwl ei fod yn ei hadnabod hi. Ond pa mor dda oedd unrhyw un yn adnabod rhywun arall mewn gwirionedd?

'Gwylia 'mysedd i, wnei di?' meddai'r milwr wrth i'r dienyddiwr anelu'r fwyell i'r cyfeiriad anghywir.

Yn sicr roedd Ceredin yn adnabod y dafarn erbyn hyn, pob carreg ac astell ohoni. Roedd modd dibynnu ar adeiladau fel nad oedd modd dibynnu ar bobl.

Trawodd ei droed yn galed ar astell lac ar y llawr pren. Saethodd honno i fyny a rhoi ergyd i gefn pen y milwr oedd yn ei ddal. Gollyngodd hwnnw'i afael dan weiddi a chodi ei ddwylo i fwytho'i benglog poenus.

Disgynnodd y fwyell a hollti wyneb y bar.

Roedd Ceredin fab Caradog wedi dianc o'u gafael, allan drwy'r drws, i lawr y cob mwdlyd, ac i mewn i'r goedwig. Lle na fyddai neb yn meiddio'i ddilyn.

*   *   *

Llithrodd y llwynog drwy'r prysgwydd, a'r gwair uchel yn siffrwd o'i gwmpas. Yn ofalus, heb smic, camodd ei bawennau'n fursennaidd rhwng y priciau a'r dail dan draed, drwy'r brwyn ac ar draws y bryniau. Sleifiodd heibio i'r brain oedd yn gwylio o'u cuddfannau yn y coed, a thros y nant wrth iddi suo ganu dan olau ariannaidd y lleuad gron.

Rhewodd. Trodd ei glustiau i gyfeiriad y sŵn.

Rywle, yn y llannerch gyfagos, roedd cwningen yn cnoi'n swnllyd ar ddarn o fresych. Llyfodd ei wefl isaf fel y byddai'n ei wneud bob tro'r oedd angen canolbwyntio. Ymollyngodd ar ei fol nes bod ei ên yn cyffwrdd â'r llawr. Ac ymbaratôdd i lamu o'i guddfan.

Ac yna daeth llais. *Dewch, fy neiliaid, helwyr glew fy nheyrnas.*

Does dim iaith gan lwynog, felly ni ellir disgrifio beth a glywodd yn union. Roedd yn debyg i orchymyn. Fe'i sbardunwyd gan rywbeth o'i fewn a deimlai mor gynhenid iddo â'r hela, y bwyta a'r cnychu.

Cododd o'i guddfan a throtian heibio i'r gwningen, oedd yn dal i gnoi'n siriol ar y darn o fresych. Wedi ychydig eiliadau cododd honno'i phen, wedi clywed yr un alwad ond yn arafach yn ymateb, a sbonciodd drwy'r goedwig ar ei ôl.

O fewn canllath ymunodd anifeiliaid eraill â'r orymdaith. Daeth gwiwerod, dyfrgwn a moch. Ehedodd brain o'r coed. Gwasgarodd llygod o'u cuddfannau a dilyn cysgodion y tylluanod, oll wedi'u deffro gan yr un alwad i'r gad. Roedden nhw'n ymgasglu yn un twr, yn ysglyfaethwyr ac yn brae, wedi'u denu fel un o'r goedwig, ar draws y gors, drwy'r nentydd, a thuag at yr Hen Ffermdy ar y bryn...

Cydiai ffarm Pen-y-bryn yng nghopa'r bryn fel adfail hen gastell. Tyfai mwsog fel locsyn ar hyd y waliau, a syllai'r ffenestri'n wag dros ehangder cefn gwlad. Plygai'r adeilad ymlaen fel pe bai mewn sgwrs gyson gyda'r hen gytiau a'r sguboriau ar wasgar hyd y buarth wrth ei draed.

Ar ymyl y bryn eisteddai hen ffermwr sarrug yr olwg, gyda chetyn yn ei geg a chwningen farw yn ei law. Eisteddai'r ffermdy a'r ffermwr ochr yn ochr, y ddau â'u cefnau'n grwm yn gwylio'r defaid yn pori.

Yn y cyfnos, fe ddeuai'r ddau fyd ychydig yn nes at ei gilydd. O ble'r eisteddai medrai Dafydd weld yr hen dref hudol a'i thyrau uchel a'r cychod wedi ymgasglu wrth y lan.

Fe fyddai'n eistedd yno bob nos, ac weithiau byddai'n gweld yr olygfa yn ei gof ac yn teimlo hiraeth. Ond yna byddai golau'r haul yn pylu a thyrau'r gaer yn diflannu o'i olwg, gan adael hen fryniau tonnog Ceredigion, a gorwel y môr yn wag.

Diflannodd coch a melyn ola'r machlud o'r wybren, a chyneuodd Dafydd fatsien. Gadawodd i'r fflam danio'r baco ac eisteddodd yn ôl i gael mwgyn hamddenol, y cyntaf y diwrnod hwnnw.

Ond yna gwelodd rywbeth rhyfedd, a bu bron i'r cetyn gwympo o'i geg. Safai llwynog lai na deg cam i ffwrdd, yn ei wylio gyda'i lygaid du.

'O ble daethost ti, Siôn Blewyn Coch?' gofynnodd y ffarmwr. Cododd gorff llipa'r gwningen o'i arffed. 'Ise'r bachan 'ma wyt ti?'

Ffroenodd y llwynog y gwningen am ennyd, cyn troi a gwibio ymaith ar draws y buarth.

'Os cyffyrddi di ag un o'r defaid fe fyddi di'n wasgod cyn Dolig,' gwaeddodd y ffermwr ar ei ôl. Cododd ei lusern ac ymlwybro'n ôl i gyfeiriad y tŷ. 'A dy lyged yn fotyme bach du.'

Yna gwelodd rywbeth a wnaeth i'w getyn ddisgyn o'i geg. Roedd un o oleuadau tŷ ffarm Pen-y-bryn ynghynn. Fyddai Dafydd byth yn gadael golau ymlaen. Roedd rhywun yn y tŷ.

'Pwy ddiawl fyddai'n galw'r adeg 'ma?' gofynnodd. 'Pwy fyddai'n galw o gwbl?' Gafaelodd yn y cryman a bwysai yn erbyn wal y tŷ ac agor drws y cefn yn ofalus, heb smic.

Aeth ar flaenau ei draed drwy'r gegin gefn, yn drwgdybio pob cysgod, nes cyrraedd gwaelod y grisiau. Roedd y golau, a'r lleisiau, yn dod o'r ystafell fyw. Clustfeiniodd wrth y drws.

'Mae'r porthwll yn y fan yma yn sicr,' meddai un llais, garw fel rhisgl coeden.

'Gobeithio'n wir y daw ein chwilio maith i ben,' meddai llais arall, llais merch, yn llyfn fel diferyn yn rhedeg ar hyd deilen.

Gwgodd y ffarmwr, ac agor y drws.

'O! Ceri, mae gennym ni gwmni,' meddai'r dyn â'r llais fel rhisgl. Eisteddai mewn cadair wrth y tân, a glased o win yn ei grafanc. Edrychai'n hynafol ac yn grebachlyd, fel hen afal.

Trodd y fenyw i wenu ar y ffarmwr. Roedd hi'n ifanc ac yn welw, a chanddi wallt du a lifai at ei chanol.

'Chi yw Mr Wyn?' gofynnodd.

'Dafydd,' meddai'r ffarmwr. 'Pwy ddiawl y'ch chi'ch dou?'

'Ymwelwyr yn mwynhau eich croeso cynnes,' meddai'r hen ddyn. 'Ceri, cynigia lased o win i'n gwesteiwr.'

'Ro'n i'n cadw'r gwin 'na at...'

'... y diwrnod hwn,' meddai'r dyn gan godi'i wydryn. 'Diwrnod i'r brenin.'

Tywalltodd Ceri ychydig o'r gwin coch i wydryn arall a'i

osod ar y ford fach gyferbyn â'r ffermwr.

'Cyn hir byddwch chi'n ddyn cyfoethog iawn, syr. Eisteddwch.'

Eisteddodd Dafydd, wedi'i daro'n fud.

'Fy enw i yw Cern,' meddai'r hen ddyn. 'Dyma Ceri, fy nghynorthwywraig. Fel yr ydych chi'n gweld, mae'n siŵr, rydw i'n hen ac yn fethedig erbyn hyn. Rydw i a Ceridwen yn chwilio am le i ymddeol, ar dir anghysbell, ymhell o'r byd a'i brysurdeb.'

'Ie?'

'Rydym ni am brynu eich fferm, Mr Wyn.'

Ysgydwodd y ffermwr ei ben. 'Dim diawl o beryg!'

'Ond syr, rydych chi'n hen, a heb blant,' meddai Cern. Edrychodd o'i amgylch ar y tamprwydd yng nghorneli'r ystafell a'r llenni treuliedig. 'Does dim modd i chi gynnal yr hen fferm yma am byth. Mae gennym ni arian i'w hatgyweirio. Derbyn fy nghynnig fyddai orau.'

'Mae'n gynnig hael,' meddai Ceridwen, ei llais fel tonnau yn tylino'r lan. Tynnodd gwdyn lledr o'i phoced a'i daflu i gôl y ffermwr. Agorodd Dafydd y careiau a gweld llewyrch euraid o'i fewn.

'Tri chan mil mewn darnau o aur,' meddai Cern.

'Am y fferm a'r tiroedd o'i hamgylch,' meddai Ceridwen. 'A phe baech yn gwerthu'r anifeiliaid...'

'Mi allech chi symud i dŷ hwylus ar stad a diweddu eich oes mewn heddwch.'

Teimlai'r ffermwr bwysau'r aur yn ei law, ac ochneidiodd. 'Ond mae'r ffarm hyn wedi bod yn fy nheulu ers canrifoedd, Mr Cern. Alla i ddim gwerthu.'

'Ond does dim plant gennych chi.'

'Eich ceilliau'n grebachlyd ac yn anffrwythlon...'

'Mae'ch peiriannau'n rhydu a'r gwair hir yn hawlio

adfeilion eich hen ymerodraeth.'

Cododd Dafydd ar ei draed. 'Sai'n gwybod be yw eich profiad o redeg ffarm, Mr Cern, ond rwy'n gwneud jobyn eitha teidi ohoni. Bydda i yn fy medd yn troelli fel melin wynt cyn gweld y lle yma yn nwylo estroniaid.'

'Faint o gydau aur fydd eu hangen?' Cnôdd Cern ei wefus. 'Mae gen i ddigonedd ohonyn nhw. Cynigiwch bris i mi.'

'Gwrandewch, mae'r ffarm yma wedi bod yn y teulu ers cyn co a dwi ddim am ei gwerthu i ryw gwcw flewog o bwy-ŵyr-ble.' Cododd Dafydd ei gryman yn fygythiol. 'Gawn ni weld faint o ddarne aur sy'n dy gwd dithe os na wnei di 'i heglu hi!'

Wrth i'r nos daflu'i chlogyn dros fryniau cefn gwlad, ysgubodd dau ffigwr tywyll i lawr lôn leidiog y ffarm. Roedd hi'n ganol mis Hydref a'r dail sych yn crensian dan draed, ond ychydig iawn o sŵn a wnâi'r ddau wrth gerdded.

'Mae gwreiddiau hwn yn ddwfn, Ceridwen,' meddai un.

'Os gŵyr unrhyw un am dynnu gwreiddiau dwfn, chi yw hwnnw, Arglwydd,' atebodd y llall gyda gwên.

Safodd y ffarmwr ar y buarth yn gwylio'r ddau nes iddynt ddiflannu o'i olwg heibio'r clawdd. Yna aeth yn ôl i'r tŷ a chodi'r ffôn. Deialodd, a gwrando arno'n canu am ychydig eiliadau.

'Tomos! Uffern dân ble wyt ti, sai'n clywed dim. Clwb Ifor? Pwy ddiawl yw Ifor? Ie, dy dad di sy 'ma. Gwranda, rwyt ti'n dod gartre. Heddi! Iawn 'te, fory, pan fyddi di wedi sobri. Da bot.'

Trawodd y derbynnydd yn ôl ar ei fachyn, a rhegi.

Yna, trodd ei ben a gweld gwiwer fach lwyd yn sbecian arno o ben y landin. Byddai'n rhaid iddo fod yn ofalus beth oedd yn ei ddweud o hyn ymlaen.

CALEDFWLCH

Roedd hi'n fore Sadwrn yng Nghaerdydd. Deffrodd y ddinas gydag uffar o ben mawr, a cheisio cofio beth oedd wedi'i wneud y noson cynt a gyda phwy. Sylweddolodd fod y dasg honno'n un ofer, a chododd i ymolchi. Eilliodd y pecynnau sglodion *styrofoam* oddi ar ei strydoedd, golchodd y smotiau hagr o chwd oddi ar ei gwep, a brwsiodd ei phalmentydd nes eu bod nhw'n sgleinio'n wyn.

Tua deg o'r gloch fe gafodd y ddinas gawod sydyn. Erbyn canol y bore roedd yn barod am noson arall o hwyl.

Draw yn Cathays, roedd y myfyrwyr yn cystadlu am wobr hangofyr gwaetha'r ddinas. Yn ei gwman ar ben y podiwm yn gafael yn y fedal aur roedd Tomos, bachgen a gawsai ganlyniadau ei MA y bore cynt ac a fu'n yfed am bymtheg awr yn ddi-dor.

Deffrodd Tomos fel un yn deffro o blith y meirw, ac edefyn tenau o boer yn hongian o'i geg. Cwsg difreuddwyd, du, diffrwyth a gawsai. Nid oedd wedi breuddwydio mewn lliwiau ers cyrraedd y ddinas.

Datgysylltodd ei hun o'r corff a orweddai wrth ei ochr yn y gwely a heb fod yn siŵr pa droed i'w rhoi o flaen y llall wrth gamu trwy'r hen ganiau cwrw a sanau heb eu golchi ar lawr ei ystafell, cododd i agor y llenni.

Ddaeth dim llawer o olau ychwanegol i mewn drwy'r ffenest, ond digon i wneud iddo wingo. Edrychodd allan dros doeau'r rhesi tai unffurf, dan slab llwyd hydrefol o awyr.

Herciodd draw o'r ffenest ac i lawr y coridor i'r ystafell ymolchi. Aeth heibio i ystafell y Gog, Dylan, oedd yn rhannu fflat gydag ef ac yn dal i rochian yn dawel. Edrychodd arno'i hun yn y drych.

Syllai llygaid brown arno o wyneb crwn, pryd golau drwy ddwy hollt boenus. O'r golwg ar ei wallt du, cyrliog, roedd o wedi cael *one-night-stand* gyda Generadur Van de Graaf, ac roedd y bagiau dan ei lygaid mor fawr fel y câi drafferth bordio awyren ym Maes Awyr Caerdydd.

"Na'r tro olaf... bydd fy whant am Guinness a Toffoc wedi bennu am byth...' meddai Tomos, am y trydydd tro'r wythnos honno.

Rhwbiodd ei ben yn araf a daeth atgofion y noson cynt yn ôl, y naill ar ôl y llall, mewn lluniau stacato fel pe bai cnocell y coed yn eu morthwylio i mewn i'w ben.

Cofiai fynd i dafarn Undeb y Brifysgol ar ôl cael ei ganlyniadau. Roedd Dylan wedi cwyno bod y dafarn wedi troi'n 'Ikea pub fel pob un arall', a mynnai cariad Tomos, Angharad, fod hoff dafarndai Dylan yn rhai budr a ffiaidd. Fel cyfaddawd roedden nhw wedi mynd i'r Mochyn Du, gan ei fod yn ddigon henffasiwn ei olwg i gadw Dylan yn hapus ond yn cynnwys digon o gyfryngis o'r un anian ag Angharad i'w phlesio.

Roedd popeth wedi hynny yn wyrgam, fel pe bai wedi'i weld drwy waelod gwydr peint. Cofiai fynd i glwb nos, meddwi'n rhacs ar gymysgedd o Guinness a Toffoc, chwydu oddi ar bont yr orsaf ar bwys Undeb y Myfyrwyr a phoeni yn ei feddwdod enbyd y byddai'r trên yn llithro a mynd oddi ar y trac... a dyna ni. Daeth y Düwch.

Roedd wedi dysgu rhoi ei ffydd yn y Düwch. Byddai'r Düwch yn dod ag ef adref yn ddiogel. Wyddai ef ddim sut. Ond y tro hwn roedd yna rywbeth arall... rhyw ansicrwydd, a lynai yng nghefn ei feddwl fel y glob o gyfog yn ei wddf.

Tynnodd ei ffôn symudol yn ochelgar o boced ei jîns a chraffu ar y rhestr galwadau. Roedden nhw'n cadarnhau'r gwaethaf – *21:34yh... 'Dad'*.

Clywodd oglau chwys a phersawr y tu ôl iddo a gwelodd Angharad yn baglu'n simsan ar hyd y coridor. Roedd ei gwallt hir golau wedi'i lapio o amgylch ei chorff fel neidr aur. Yna cofiodd am wahoddiad ei dad i fynd yn ôl adre. Oedd e wedi cytuno? Oedd Angharad wedi cytuno i fynd gydag e? Ac oedden nhw wedi cytuno i fynd â Dylan gyda nhw?

'Dwed wrth y blydi Gog 'na i stopio snoro,' meddai Angharad wrth wthio heibio iddo i mewn i'r gawod.

'Mae'n hanner dydd,' meddai Tomos, gan edrych ar yr oriawr a orweddai ar y silff blastig uwchben y sinc.

'Ie, wel rwy angen fy *beauty sleep*,' meddai hi, a'r masgara hyd ei llygaid cysglyd yn edrych fel pe bai wedi'i roi arno gyda mop.

Ochneidiodd Tomos a thaflu tipyn o'r dŵr tap dros ei ben gan obeithio y byddai ei broblemau'n diflannu i lawr twll y plwg gyda'r llysnafedd yn ei wallt.

Ar ochr arall y ddinas, i lawr yn y Bae, roedd Cymro Cymraeg arall yn dygymod ag anturiaethau'r noson cynt. Fel y rhan fwyaf o boblogaeth y ddinas, roedd Dr Odwyn Lewis, o rif 3 Bay View Crescent, wedi cael gormod i'w yfed. Ond yn wahanol i weddill y ddinas (hyd y gwyddai), roedd hyn am ei fod yn dathlu cael ei ddyrchafu'n Archdderwydd Gorsedd Beirdd Ynysoedd Prydain mewn seremoni fawreddog a ddaethai i'w therfyn o dan fwrdd yn nhafarn y Mochyn Du.

Roedd Bay View Crescent yn dawel, heblaw am ddwndwr ambell gwch yn gwibio heibio ar ei ffordd i draeth Penarth am y dydd. Daliai'r Dr Odwyn Lewis i hepian yn ei wely pan alwodd y postmon heibio. Arhosodd yn ei wely am sbel a disgwyl i'r Awen ei ysbrydoli i godi. Weithiau fyddai'r Awen ddim yn ei ysbrydoli i godi tan hanner dydd, weithiau'n hwyrach. Doedd dim brysio arni.

Ond doedd dim amheuaeth gan Odwyn nad oedd yn haeddu cysgu'n hwyr y bore hwnnw.

Roedd swydd Archdderwydd yn swydd flinderus. Yn ddiamau roedd Gorsedd y Beirdd yn nyth cacwn o ffrwgwd a ffraeo na welsai ei debyg cyn hynny. Byddai'n cael ei dynnu i bob cyfeiriad ym mhob dadl nes bod ei ben yn brifo. Roedd prifeirdd clodfawr yn ei alw ganol nos i gwyno bod y prif lenorion yn siarad amdanynt y tu ôl i'w cefnau. Bu Odwyn yn brifathro am gyfnod, ac roedd buarth yr ysgol fel cyfarfod o'r Crynwyr o'i gymharu â chyfarfodydd yr Orsedd.

A digwyddodd hynny i gyd ar ôl wythnos yn unig fel darpar Archdderwydd. Pwy wyddai sut byddai'r joban go iawn.

Ond y penwythnos hwnnw, edrychai ymlaen at ddeuddydd heb ffws na ffwdan. Roedd Odwyn yn ddyn a hoffai wybod ei le yn y byd, ac yn hapusach fyth wrth ddarganfod mai'r lle hwnnw oedd ei wely.

Wedi llithro rhwng cynfasau cwsg ac effro am ryw hanner awr arall, gan ddylyfu gên cododd i wisgo o'r diwedd, plygu ei byjamas archdderwyddol yn ofalus, a mynd i nôl y post. Roedd tomen yn ei ddisgwyl dan y blwch llythyrau, ac fe aeth â nhw allan i'r balconi, oedd yn edrych draw dros y bae.

O'r fan honno gallai weld y Senedd, lle teyrnasai fel y llywydd; y Stadiwm, lle câi wylio'r gêmau o'r seddi lletygarwch; a Chanolfan y Mileniwm, lle gallai eistedd mewn bocs. Dan awyr lwyd y bore edrychai'r cwbl fel arddangosfa o dân gwyllt cyn tanio – yn bolion lletchwith i gyd.

Ond gyda'r nos disgleiriai'r bae fel arwyneb y Pair Dadeni. Ac o fwrlwm du budreddi'r bae roedden nhw wedi atgyfodi Cymru i'w hysblander gwreiddiol. Ond fel yn y chwedl honno, daeth Cymru allan o'r pair yn fud – heb ei hiaith.

Agorodd Odwyn ei lythyrau'n daclus gyda'i gleddyf gorseddol bach. Ymysg y post sothach a'r biliau arferol gwelai un amlen maint A4 gyda stamp gwlad estron arni, wedi'i chyfeirio at 'Yr Archdderwydd'. Roedd eisoes wedi derbyn negeseuon yn ei longyfarch oddi wrth Goursezh Breizh a Gorseth Kernow, cylch beirdd Cernyw a Llydaw. Tybed a oedd gorsedd arall yn anfon ei chyfarchion o ryw wlad ddieithr na wyddai ddim amdani?

Agorodd yr amlen.

Annwyl Ddr Léwis,

Rydw i'n ysgrifennu atoch chi, hybarch Archdderwydd, o lyfrgell Halle, ar lan yr afon Saale, Bafaria, yn nwyrain yr Almaen. Maddeuwch i mi am fod mor hy â'ch poeni ar amser prysur, ac am safon fy iaith am fy mod i wedi dysgu'r Gymraeg yn bennaf drwy ddarllen eich hen glasuron (gwaith Daniel Owen, Kate Roberts) a barddoniaeth (Dafydd ap Gwilym, MC Mabon) ac efallai felly fod fy nghystrawen yn henffasiwn, glogyrnaidd (?) a chwithig ar brydiau.

Rydw i'n cysylltu atoch chi ynglŷn â pholisi newydd llywodraeth yr Almaen o ddychwelyd hen greiriau wedi'u cipio gan y Natsïaid yn ystod yr Ail Ryfel Byd. Ymysg ein casgliad roedd gennym hen ddogfen Gymraeg o'r 18fed ganrif oedd wedi'i bachu'n anghyfreithlon o goleg yng Ngwlad Belg a ddinistriwyd yn gyfanhollol gan gyrch awyr, ac felly nid oes modd ei dychwelyd yno. Wyddwn i ddim beth oedd y ddogfen yn ei wneud yno o'r cychwyn, ond meddyliais felly oherwydd ei tharddiad Cymreig mai'r peth gorau fyddai ei dychwelyd i Orsedd Beirdd Cymru, amddiffynwyr yr hen ddiwylliant Cymreig a Chymraeg, i gael penderfynu beth i'w wneud â hi. Mae'r ddogfen wreiddiol yn amgaeedig.

Yn gywir,

Rudolf Guter-Gefährte

Gosododd Odwyn Lewis y llythyr o'r neilltu a mynd i chwilota'n awchus yn yr amlen. Roedd y darn papur bach staenedig a dynnodd ohoni yn frith o sgribliadau mewn inc aneglur. Ond hyd yn oed heb ei sbectol, roedd rhywbeth am y llawysgrifen yn canu cloch ar unwaith.

Camodd drwy'r drysau patio a mynd i'w stydi... i nôl un o'r hen gyfrolau trwchus o'r silffoedd. Rhedodd ei fysedd drwyddi. Dim ond un dyn fyddai'n ysgrifennu fel yna, myfyriodd, mewn llythrennau bach onglog od. Tynnodd ei fys ar hyd y mynegai gan godi ton o lwch.

Iolo Morganwg, tud. 164.

Ac ie, ar waelod y dudalen, roedd y llawysgrifen yno. Daliodd y llythyr a'r llyfr ochr yn ochr â'i gilydd. Roedd y ddau'n cyfateb i'r dim.

Ein tad ni oll, meddyliodd Odwyn.

*   *   *

'Ry'n ni ar goll yng nghefn gwlad cesail Cymru.'

'Dyna ble mae'r ffarm,' meddai Tomos. 'Felly ry'n ni ar y trywydd iawn.'

'Ro'n i'n meddwl dy fod ti'n dweud 'i bod hi ar bwys y môr,' meddai Angharad.

'Mae hi!' Rowliodd Tomos ffenest y car i lawr a chlustfeinio. Ond ni allai glywed dim byd uwch grwnan diflas y car.

Roedd yn gwybod eu bod nhw ar goll. Ac, yn waeth na hynny, roedd ei gyd-deithwyr wedi dechrau amau hynny hefyd. Doedd e ddim yn mwynhau gyrru yn y nos. Roedd e wedi gobeithio cychwyn yn y pnawn, ond roedd y ddau arall wedi cymryd cymaint o amser i bacio nes ei bod hi'n hwyr brynhawn Sul cyn iddyn nhw ddechrau ar y daith.

'Dwyt ti erioed wedi dreifo gartref o'r blaen?' gofynnodd Angharad.

'Nag ydw. A dwi ddim wedi bod gartre ers i mi basio 'mhrawf flynyddoedd yn ôl,' meddai Tomos. 'Ga i olwg ar y map?'

'Dyw e ddim iws i ti, wela i 'run lle â'r enw Pen-y-graig arno fe.'

'Dyro'r map i fi,' meddai Dylan o'r sedd gefn. '*Pub crawl route* ydy'r cyfarwyddiada mwya *complex* rwyt ti erioed 'di dilyn.'

'Fi yw'r unig un yn y car hyn gas radd dosbarth cyntaf, diolch yn fawr, mister *two-two*,' meddai Angharad yn swta. 'Felly fi sy'n fwya cymwys i ddarllen y map.'

'Ia, mewn pwnc mici-mows fel *Media Studies*.'

Cipiodd Dylan y map o ddwylo Angharad a syllu arno. 'Tom, map 1994 ydy hwn.'

'Bydde map 1894 yn gwneud y tro i Geredigion, dyw e'n newid dim,' meddai Tomos.

Gyrrodd heibio i ddarn o graig oedd yn hanner cyfarwydd, o bosib am eu bod nhw wedi mynd heibio iddo o'r blaen.

'Pam na wnei di brynu *Sat Nav*?' gofynnodd Dylan wedyn. 'Mae 'na lais merch fach yn dweud wrthat ti yn union pa ffordd i fynd.'

'Sai'n gwario can punt i gael menyw yn dweud wrtho i ble i fynd!' atebodd Tomos, gan edrych ar Angharad. ''Da fi un o'r rheiny'n barod, diolch.'

Gwgodd hi arno. 'Dwedodd Dad wrtho i am bido mynd allan 'da Cardi. "Maen nhw mor gybyddlyd, fyddi di'n priodi mewn sachliain," medde fe.'

Wedi gyrru ar hyd lonydd troellog unffurf ildiodd Tomos i'r protestiadau a llywio'r Peugeot 306 draw i ochr y lôn. Gwasgodd y botwm i droi'r golau bach ymlaen a darllen y cyfarwyddiadau. Craffodd ar y dudalen yn llawn nadredd lliwgar. Efallai *fod* y lonydd wedi newid ers 1994, meddyliodd.

'Awn ni 'nôl i Gaerfyrddin,' meddai Angharad. 'Welais i *Bed and Breakfast* neis fan'ny.'

'Mae 'na bobl od yng Nghaerfyrddin. Dyna ddwedodd 'Nhad wrtho i.'

'Dim mwy od na ti, Tomos.'

Edrychodd Dylan drwy'r ffenest ochr. 'Be am i ni ofyn yn un o'r tai 'na, ia?' awgrymodd, a phwyntio at amlinelliad ffarm fach ar ben y bryn.

'Dwi'm yn meddwl bydde neb yn byw mewn lle mor anghysbell, Dylan,' meddai Angharad.

Taflodd Tomos y map i gefn y car. 'Ffarm 'Nhad yw honna!' Taniodd yr injan. 'Byddwn ni yno mewn pum munud.'

Ar ôl y troad nesaf daethon nhw at bentref glan môr Pen-y-graig. Sylwodd Tomos nad oedd golau yn yr un o'r tai, ac ar wahân i suo tawel y môr wrth daro yn erbyn y creigiau doedd dim siw na miw i'w glywed yno. Dim ond tafarn y pentref, Y Stag, oedd ag unrhyw arwydd o fywyd o'i mewn.

'Mae hi fel bod y *Black Death* 'di bod yma, con',' meddai Dylan, a'i drwyn yn erbyn gwydr y ffenest.

'Tai haf yw'r cwbwl bron erbyn hyn.'

'Does 'na'm gole mlân yn y ffarm chwaith,' meddai Angharad yn bryderus, wrth iddyn nhw droi i fyny'r hen lôn i ben y bryn. 'Ti'n siŵr fod rhywun gartre?'

'Ydw. Mae 'Nhad yno bob amser. Ddim yn lico gwastraffu mae e.'

Hanner ffordd i fyny'r bryn roedd yr Hen Ffermdy, ble roedd ei dad wedi dweud y gallen nhw aros. Roedd wedi'i gadw rhag troi'n adfail i roi llety i'r gweithwyr achlysurol y byddai'n eu cyflogi ar y ffarm ar adegau prysur.

Unig amod Tomos wrth gytuno i fynd yn ôl i'r ffarm oedd eu bod nhw'n cael tŷ ar wahân i'w dad. O leiaf byddai rhywfaint o ryddid ganddyn nhw wedyn.

Doedd Tomos ddim wedi bod gartref ers pedair blynedd ac roedd wedi disgwyl plwc o hiraeth. Ond y peth cyntaf a'i trawodd wrth i'r car ymlusgo i fyny'r bryn fel hen chwilen oedd drewdod y dom da.

'Mae'n stinco fan hyn,' meddai Angharad, gan afael yn ei thrwyn rhwng bys a bawd.

'Gwell cachu gwartheg Ceredigion na cachu cŵn Caerdydd,' meddai Dylan, oedd yn anghytuno gydag Angharad ar egwyddor, er ei fod yntau hefyd yn crychu ei drwyn.

Parciodd Tomos y car tu allan i'r Hen Ffermdy a chamu allan hyd at dop ei sgidiau mewn mwd.

Cnociodd ar y drws, ond doedd dim ateb, felly agorodd ef a chamu i mewn i'r cyntedd. Roedd oglau tamprwydd cryf yno, fel pe bai rhywun yn cosi blew ei drwyn gyda darn o welltyn.

'Helô? Os 'na bobol?'

Agorodd ddrws yr ystafell fyw. Estynnodd ei law i droi'r golau ymlaen. Roedd yr hen le tân a'r dodrefn i gyd wedi'u gorchuddio â llieiniau gwyn a haen o lwch.

Daeth corws o wichian aflafar o'r nenfwd ac o fewn eiliadau roedd yr ystafell yn llawn siapiau du, yn plymio a fflapio a chwarae gyda gwallt Tomos.

Diffoddodd y golau yn frysiog a chau'r drws ar ei ôl.

'Ystlumod!' meddai Tomos.

'Maen nhw'n dod i mewn i nythu dros y gaeaf.' Safai Dafydd wrth y drws ffrynt, a golau'r llusern yn ei law yn naddu rhychau dwfn yn ei wyneb.

'Shwmai, Dad, ers ache?'

'Shwmai,' atebodd hwnnw'n ddifater. Camodd i'r cyntedd. Disgwyliodd Tomos iddo ofyn am ei waith coleg, a sut roedd e wedi gwneud yn ei arholiadau, a beth oedd yn ei wneud nawr, ac yn y blaen. Ond yr unig gwestiwn oedd 'Sdat ti ddim sgidie glaw?' wrth i'r llusern oleuo *trainers* budr ei fab.

'Helô, Mr Wyn!' galwodd Angharad, oedd yn nôl ei bag o gefn y car.

'Shwd y'ch chi, bach. Hi yw dy wejen di?' sibrydodd wrth Tomos drwy gil ei geg. 'Mae hi'n bert.'

'Diolch,' meddai Tomos yn syn. Doedd e ddim yn cofio'i dad yn dweud unrhyw beth neis am neb.

'Odi'r tŷ yn iawn, Tomos?' gofynnodd Angharad, gan faglu cerdded drwy'r mwd yn ei sodlau uchel.

'Mae 'na bla o ystlumod ynddo fe.'

'Diddorol!' meddai dan wenu. Hyd y gwyddai Tomos, doedd Angharad erioed wedi gweld ystlum o'r blaen.

'Efalle bydde'n well i ni wersylla tu fas heno, rhag ofon 'u bod nhw'n cnoi.'

Caledodd gwên Angharad rywfaint. 'Gwersylla? Fel yng Ngwersyll yr Urdd?'

'Ond mewn pabell,' eglurodd Tomos.

Disgynnodd ei gwep.

'Dim ond llygod sy'n hedfan yw ystlumod,' meddai Dafydd. 'Rwy wedi paratoi tair ystafell i chi, dwy lan stâr i chi'r bechgyn ac un lawr llawr i chithe.'

'Dad, bydda i ac Angharad yn cysgu yn yr un stafell,' meddai Tomos.

Gwgodd Dafydd fel petai gwenynen yn ei geg. 'Cewch chi hel yr ystlumod i gyd i'r stafell sbâr, debyg.' Trodd a hercio i fyny tuag at y Tŷ Ffarm.

Gwyliodd Angharad ef yn mynd.

'Oedd e'n gwybod dy fod ti a fi'n byw gyda'n gilydd yn coleg?'

'Wnes i'm crybwyll y peth,' meddai Tomos. 'Dyw'r pwnc

eriôd wedi codi. A dweud y gwir, doedd e'm yn gwybod dy fod ti'n bodoli tan i fi sôn wrtho neithiwr.'

'Mr Munud Ola.' Gollyngodd Angharad ei bag yn y cyntedd. 'Y'ch chi'n trafod unrhyw beth?'

'Wedes i wrthot ti, dwi ddim wedi'i weld e ers i fi ddechre yn y coleg.'

'Wel, mae'n edrych fel hen ddyn ffein,' meddai hi.

'Nag yw, dyw e ddim. Mae'n hen ddyn crintachlyd sy'n osgoi cysur ac yn lico'i gwmni 'i hunan. Cadwa di'n ddigon pell oddi wrtho fe.'

Aeth Tomos i'r gegin a throi'r golau ymlaen. Roedd y nenfwd yn fwrlwm o gyrff bach du yn poeri a rhegi ar ei gilydd.

'Ma'r blydi stlumod mewn fan hyn 'fyd!'

Caeodd y drws a cherdded i fyny'r grisiau. Dilynodd Angharad ef.

'O! En suite,' meddai hi wrth weld yr ystafell wely dwbwl a'r gawod gerllaw.

'Mae yna fath lawr llawr,' meddai Tomos.

'Gaiff Dylan hwnnw. Wna i ffonio Dadi a Mami i ddweud ein bod ni wedi cyrraedd.'

'Byddan nhw wedi mynd i'r gwely,' meddai Tomos dan ei wynt. Gwyddonwyr wedi ymddeol oedd rhieni Angharad – Beryl Angharad Watkins i roi ei henw llawn iddi. Wedi'i henwi ar ôl corwynt oedd yn chwyrlïo dros yr Iwerydd y bore cafodd hi ei geni.

Aeth Tomos drwy'r ystafell yn chwilio am ystlumod a allai fod yn cuddio yn y droriau. Edrychodd dan y gwely.

'Dyw fy mobeil i ddim yn gweithio,' meddai Angharad, wrth gerdded yn ôl i mewn o'r ystafell ymolchi.

'Do's 'na'm signal fan hyn.'

'Dim signal? Yng Nghymru?' gofynnodd hi'n syn, fel

gwyddonydd a gredai yn namcaniaeth tyllau du ond heb ddisgwyl darganfod un yn ei ddrôr sanau.

Doedd y Stag ddim wedi bod mor llawn ers misoedd, os nad blynyddoedd. Hyd yn oed yn anterth yr haf pan oedd yn llawn o Brits tŷ haf yn eu llodrau byr yn yfed lager piso cath fyddai hi byth mor brysur â hyn.

Gwenodd y perchennog. Fel arfer ni fyddai Idwal yn ffwdanu agor y dafarn o gwbl rhwng mis Hydref a mis Ebrill. Fyddai Dafydd y ffarmwr prin yn rhoi siwgr yn ei de heb sôn am yfed peint o gwrw. Ond heddiw, yn hollol ddirybudd, roedd llond bws mini o dderwyddon wedi cyrraedd. Dyna ble roedden nhw yn y dafarn, yn eu gynau glas, gwyn a gwyrdd, ac un yn edrych fel Archesgob Caergaint gyda choron aur ar ei ben. Ac roedd bron yn siŵr *mai* Archesgob Caergaint oedd un arall, yn sipian peint yn slei yn y gornel.

'Brains, plîs,' meddai un o'r derwyddon wrth y bar.

'Hei, rwy'n dy nabod di,' meddai Idwal wrth dynnu diod o'r pwmp. 'Roeddet ti'n arfer chwarae i'r tîm hwnnw.'

'Wêls.'

"Na fe, hwnnw.' Gosododd y peint ar y bar a gwenu'n edmygus wrth i'r mynydd o ddyn wthio'i ffordd yn ôl at y bwrdd.

Wedi ychydig funudau cododd yr un a wisgai'r goron a'r holl drimins aur, a dringo ar ben ei gadair. Cyfarchodd y lleill yn fawreddog.

'Gyd-dderwyddon annwyl,' meddai. 'Mae'n dda iawn gen i eich gwahodd chi yma ar y noson arbennig hon. Dwi'n siŵr eich bod chi i gyd eisiau gwybod pam fy mod i wedi dewis lleoliad mor anghysbell ar gyfer y cyfarfod cyffredinol hwn o Orsedd y Beirdd.'

'O leia mae e mewn blydi tafarn tro 'ma,' meddai un

derwydd, a wisgai sombrero.

'Dros y blynyddoedd diwethaf rydym wedi trafod nifer o bynciau sydd o bwys i ni'r Cymry. A ddylid defnyddio meini plastig? A ydyw'n amharchus i dderwyddon glymu nofelau Daniel Owen yn sownd o dan eu traed er mwyn gwneud iddynt ymddangos yn llawer talach? Ac yn y blaen ac yn y blaen... Ond heno mi fyddwn ni'n trafod rhywbeth sydd ychydig yn fwy... goruwchnaturiol.'

Fe aeth i chwilota ym mhlygion ei ŵn a thynnu hen ddarn o bapur ohono.

'Yr wythnos diwethaf derbyniais lythyr gan ŵr bonheddig o'r Almaen yn dweud iddo ddarganfod dogfen Gymraeg a gipiwyd yn ystod y rhyfel o goleg yng Ngwlad Belg...'

Sylwodd Idwal fod dau arall nad oeddynt yn dderwyddon yn eistedd yng nghornel y dafarn. Nhw oedd yr unig reswm pam roedd Idwal wedi agor y gwesty o gwbl dros yr wythnos a hanner diwethaf. Gan amlaf byddent yn llercian yn eu hystafelloedd ar y llawr cyntaf, a dyma'r tro cyntaf i Idwal eu gweld nhw yn y bar gyda'r nos.

Roedd y naill yn ferch ifanc, brydferth, a'r llall yn hen ddyn afiach yr olwg. Efallai mai hi oedd ei nyrs, neu ei gariad, os oedd ganddo ddigon o bres. Roedd y ddau'n gwrando ar araith y dyn ar y gadair gyda chryn ddiddordeb. Roedd y syrcas yn y dref, meddyliodd.

'... pan welais i'r llawysgrifen fe ruthrais i'n syth at fy llyfrau er mwyn cael gwirio beth roeddwn i eisoes yn sicr ohono yn fy nghalon. Roedd y llawysgrifen a'r llofnod yn cydweddu'n union â llawysgrifen ein sylfaenydd, y dyn a greodd Orsedd y Beirdd – Iolo Morganwg!'

Aeth murmur o syndod drwy'r ystafell.

'Yn fwy na hynny, mae'r darn o bapur yn cynnwys, mewn Cymraeg plaen, gyfarwyddiadau ar sut i gyrraedd yr union bentref hwn ac ar yr union noson hon. Mae'n dywedyd: "Ar 17 Hydref, 20--, ym Mhen y Graig yn sir Geredigion, daw cwsg oesol y Brenin Arthur i ben, a bydd yn ailafael yn ei arfau ac yn arwain y Cymry i fuddugoliaeth yn erbyn y Saeson!" Gwnaeth ystum rwysgfawr wrth orffen.

'Onid ar Ynys Witrin mae Arthur wedi'i gladdu?' gofynnodd un dderwyddes dew, oedd yn athrawes hanes.

'Na, na, dwi'n sicr i mi glywed mai ar Ynys Carrack Looz en Cooz yng Nghernyw cafodd o'i gladdu!'

'Y Saeson yn ceisio dwyn ein harwyr ni eto, dyna 'di hwnna, 'de? Ar Ynys Enlli mae o.'

Llyncodd un derwydd ifanc ei beint, a dweud: 'On'd oedd Iolo Morganwg yn llawn *shit*?'

'Oedd,' meddai'r Archdderwydd. 'Oedd. Ond nid tric na ffugiad o'r tu hwnt i'r bedd yw hwn. Ffawd ydoedd bod y llythyr wedi dod i'm dwylo i ar yr amser y daeth. Heno bydd y Brenin Arthur yn deffro o'i drwmgwsg, a bydd Cymru eto'n rhydd...'

Edrychai rhai o'r derwyddon yn ansicr ar ei gilydd. Cododd un o'r to hŷn.

'Odwyn, dwi'n teimlo, na ddylen ni, fel corff o Gristionogion ymwneud â rhyw ddewindabaeth ffantasïol, Harry Potter-aidd, New Age, fel hyn. Roedd Iolo Morganwg yn athrylith, oedd, ond fel gydag unrhyw athrylith mae'n rhaid dewis a dethol rhwng y syniadau doeth a'r rhai dwl. Dwi'n credu bod hyn yn disgyn i'r categori olaf.'

Cytunodd hanner y dorf.

'Wel, wneith rhoi cynnig arni ddim drwg i neb,' meddai un arall, tipyn mwy anturus ei ysbryd. 'Waeth i ni fynd draw i weld ddim, gan ein bod wedi dod mor bell. Pwy fydd yn gwybod?'

'Yn wir, petai agwedd debyg at waith Iolo Morganwg gan

ein cyndeidiau fydden ni ddim yn eistedd yma mewn ffrogiau nawr,' meddai rhywun arall.

Amneidiodd yr Archdderwydd. 'Beth am i ni gymryd pleidlais? Pwy sydd am roi cynnig arni?'

Cododd dros hanner y dafarn eu dwylo, gan gynnwys Idwal y perchennog. Gwenodd yr Archdderwydd. Ond yn ddiarwybod iddo, roedd yr hen ddyn yn y gornel yn gwenu hefyd.

Roedd hi'n llaith ac yn niwlog tu allan pan aeth y tri â'u bagiau ar eu cefnau i'r caeau.

'Mynd am dro?' gofynnodd Dafydd, a safai wrth y giât gyda'i lusern a'i getyn.

'Y'n ni'n mynd i wilo am ddarn gwastad o dir i wersylla,' meddai Tomos. 'Do's dim lle i ni a'r stlumod yn y tŷ.'

Llygadodd Dafydd y tri ohonyn nhw. 'Wel, pidwch yfed gormod,' meddai.

'Yfed?' gofynnodd Tomos, gan geisio edrych yn ddiniwed.

'Mae dy fag di'n sloshian fel bola morfil. Mae 'da ti ddigon o'r ddiod gadarn yn fan'na i wneud i granc gerdded yn syth yn ei flaen.'

'Fe gadwa i lygad arnyn nhw, Mr Wyn,' meddai Angharad yn falch.

'Wel gwylia hwn,' meddai gan bwyntio pen ei getyn at Dylan. 'Ma 'da fe lygaid mwy na'i afu.'

Gadawon nhw'r hen ddyn wrth y tŷ a cherdded i lawr y bryn i geisio codi'r babell yn un o'r caeau, ond roedd pob peg yn suddo heb gydio yn y tir soeglyd. Mygai'r niwl isel, annaearol y tir o'u cwmpas, a'i anadl gwlyb yn iro popeth heblaw am y twmpath a godai fel ploryn ym mhen pella'r cae. Dringodd y tri i'w ben.

Ar y brig safai maen hir tal a hollt drwyddo. Llyfai'r awyr llaith fel tafod. Penderfynodd Tomos godi'r babell yn ei gysgod.

'Ti'n meddwl bod y garreg yna'n ddiogel. Sai'n moyn iddi hi ddisgyn ar ein penne ni tra byddwn ni'n cysgu,' meddai Angharad.

'Mae hi yno ers canrifoedd, yn ôl Dad. A bydd yn ein hamddiffyn ni rhag y gwynt.'

Wedi iddynt lapio'u sachau cysgu amdanynt roedden nhw'n reit glyd yn y babell. Gorweddai'r tri yno'n gwrando ar synau anghyfarwydd y nos a cheisio meddwl am esboniad rhesymol am bob un.

'Wel mae hyn yn hwyl,' meddai Angharad yn goeglyd. 'Alla i'm dweud ei fod yn llai cysurus na chysgu yn un o *bus-stops* Caerdydd.'

'Be ydy problem chdi efo cefn gwlad?' gofynnodd Dylan.

'Fe gafodd hi brofiad gwael yng Ngwersyll yr Urdd yn Llangrannog,' eglurodd Tomos.

'Ath fy *pigtails* i'n sownd mewn cadwyn beic,' meddai Angharad. 'Bu'n rhaid eu torri nhw bant. Ac roedd y merched eraill yn gweud wrtho i y byddai'r Black Nun yn dod yn y nos a tynnu 'yn llygaid i allan a'u dodi nhw 'nôl cyn i mi ddihuno.'

Meddyliodd Dylan am hyn. 'Wel, os oedd hi'n eu rhoi nhw 'nôl i mewn, be oedd y broblem?' gofynnodd.

'Beth petai hi'n cymysgu'r llygaid? O'n i ddim moyn llygaid croes hyll y ferch yn y bync top.'

'Ti'n gwersylla lot, dwyt Dylan?' gofynnodd Tomos.

'Na, dwi o Dre.'

'Ond ti reit ar bwys yr Wyddfa. Mae'n rhaid bod fan'ny'n lle gwych i wersylla!'

''Di Cofis byth yn mynd allan i'r wlad,' meddai Dylan.

'Sna'm pwynt concro mynydd os 'na ti pia fo'n barod.'

'Oedd 'da ti ddim whant mynd 'nôl i fyw gartre i Gaernarfon ar ôl gadel coleg?' gofynnodd Angharad.

'No-wê, dim tan fod gen i ddigon o bres i brynu tŷ,' meddai Dylan. 'Unwaith ti'n symud i mewn i un o'r tai cyngor yn Sgubor Goch 'sa Harri Hwdini ei hun yn methu denig o'na. Funud nesa mae gen ti wraig o'r enw Chantelle, chwech o blant, ti ar y dôl a ti'n wondro lle wnaeth dy fywyd di ddiflannu.'

'Nage Chantelle yw enw dy fam?'

'Yn union. Wnaeth Dad rybuddio fi. Be ffwc oedd y sŵn 'na?'

… a dyma'r lle. Fe welwch fod y maen yma'n union fel y disgrifiodd Iolo…

'Pwy sŵn?'

'Y llais!'

'Addolwyr y diafol, mae'n debyg, neu drygis,' meddai Angharad.

'Neu'r dyn wnaeth ddwyn y Nadolig,' meddai Tomos.

… Nefoedd yr adar, dwi wedi rhwygo fy ngwisg ar frigyn…

'Ma 'na rywun tu fas,' meddai Tomos. Agorodd sip blaen y babell a sbecian i mewn i'r niwl. Yn gorymdeithio drwy'r gors roedd rhes o bobl mewn gynau hir, yn cario ffaglau tân, a rhyw fath o lieiniau ar eu pennau.

Daeth un at y twmpath, a phwyntio'i fys yn fygythiol i gyfeiriad Tomos. 'Ewch o'r lle hwn! Dy'ch chi ddim i fod yma.' Roedd ei lais fel taran.

'Beth?'

''Y'ch chi wedi gosod eich pabell ar ben ein safle seremonïol ni!' meddai un arall yn gyhuddgar. Roedd ganddo gleddyf anferth yn ei law. 'Cerwch oddi yma… nawr!'

'Allet ti symud y babell ychydig?' meddai llais merch. 'Gei

di ymuno â ni os ti eisiau. 'Dan ni'n mynd i wneud tân a rhostio *marshmallows*.'

'Ond dyw e ddim yn aelod o'r Orsedd!' protestiodd y dyn â'r llais fel taran.

'Dim ond Urdd Ofydd wyt ti, Dilwyn,' meddai'r ferch. 'Paid bod mor ffroenuchel. A dwyt ti ddim fod bygwth pobl efo'r cleddyf heddwch!'

'Byddai'n well 'da fi fod yn yr Urdd Ofydd heno. Dishgwl ar y staens porfa ar dy wisg wen di!'

Ciliodd Tomos yn ôl i'r babell a gadael i'r ddau gecru. 'Maen nhw'n cael rhyw fath o *rave*, dwi'n meddwl.'

O fewn cwta hanner awr roedd y babell wedi'i symud a safai'r derwyddon yn cynhesu eu dwylo o flaen tân a wnaed o frigau. Eisteddai Tomos, Dylan ac Angharad o flaen y fflamau yn crasu'r malws melys.

'Ti'n meddwl mai fel hyn gafodd *marshmallows* eu henw?' gofynnodd Dylan. 'Pobol yn eistedd mewn *marsh* yn 'u tostio nhw?'

'Pwy yw'r rhain, Angharad?' gofynnodd Tomos. Roedd Angharad wedi gwneud Safon 'A' Cymraeg ac felly ati hi y byddai Tomos a Dylan yn troi pan fyddai angen cymorth ar faterion yn ymwneud â diwylliant y wlad.

'Aelodau o Orsedd y Beirdd, dwi'n meddwl. 'Dy'ch chi ddim wedi'u gweld nhw ar faes yr Eisteddfod?'

'Hm?' meddai Dylan, nad oedd wedi gweld mwy o'r Eisteddfod na chip sydyn ar y teledu wrth wibio trwy'r sianeli.

'Yr aelodau mewn gwyrdd, yr Urdd Ofydd, yw'r rhai lleia pwysig. Maen nhw wedi pasio arholiad syml i gael bod yn aelodau. Mae'r rhai mewn glas, yr Urdd Bardd, wedi cael gradd Gymraeg neu gerddoriaeth.'

'Beth am y rhai mewn gwyn?'

'Nhw yw'r rhai mwya pwysig, y selebs sydd wedi gwneud cyfraniad cenedlaethol arbennig. A'r un sy'n gwisgo coron ac yn cario'r wialen yw'r Archdderwydd.'

'Dwi'n meddwl i mi ei weld o ar S4C tŵ,' meddai Dylan yn ansicr.

'Ie, fe sy'n cadeirio cyfarfodydd yn y Senedd ym Mae Caerdydd. Sgwn i be maen nhw'n wneud fan hyn?'

Erbyn hyn roedd y derwyddon wedi ymgynnull o flaen y maen hir â'r Archdderwydd yn y tu blaen. Cododd yr Archdderwydd ei freichiau ar led a llafarganu'n rhwysgfawr: 'Dyro Dduw, dy nawdd; ac yn nawdd, nerth; ac yn nerth, deall; ac yn neall, gwybod; ac yng ngwybod, gwybod y cyfiawn; ac yng ngwybod y cyfiawn, ei garu; ac o garu, caru pob hanfod; ac ym mhob hanfod, caru Duw; Duw a phob daioni.'

Daeth murmur o gydsyniad gan y derwyddon eraill.

'Rydw i wedi gwneud llungopïau o gyfarwyddiadau Iolo Morganwg fel bod pawb yn cael gweld y geiriau,' meddai'r Archdderwydd wedyn. 'Mae ei lawysgrifen yn anodd ei darllen, felly gwna i esbonio. Mae'n dweud: "Ein hymerawdwr, Arthur, deffra nawr o'th drwmgwsg, a thyred i arwain ein gwlad ddi-arweiniad ni, i daflu ymaith gadwyni dur y gelyn, a chael bod eto'n rhydd!"'

Syllodd bawb ar y tân yn ddisgwylgar.

'Ymunwch!' gorchmynnodd yr Archdderwydd.

Bloeddiodd y lleill: 'Ein hymerawdwr, Arthur, deffra nawr o'th drwmgwsg, a thyred i arwain ein gwlad ddi-arweiniad ni, i daflu ymaith gadwyni dur y gelyn, a chael bod eto'n rhydd.'

Bu tawelwch llethol.

'Be am i ni drio rhai o ganeuon Dafydd Iwan?' meddai un o'r derwyddesau. "Dan ni yma o hyyyyd!'

'Na, rhaid glynu wrth gyfarwyddiadau Iolo. Tri chynnig i

Gymro!' gwaeddodd yr Archdderwydd, a dechreuodd pawb lafarganu'r geiriau unwaith eto – ond ddigwyddodd dim.

'Damia Iolo Morganwg a'i gachu rwtsh!' meddai rhywun. 'Bydd yn rhaid i fi olchi 'ngwisg wen i eto nawr, a dim ond newydd shifftio mwd y Steddfod oeddwn i.'

'Y tro nesa byddi di'n cael un o dy syniadau, Odwyn,' meddai un o'r lleill yn sychlyd, 'rhanna fe efo'r gweddill ohonom ni cyn ein llusgo ni'r holl ffordd i dwll din nunlle.'

Gadawodd y derwyddon y bryn gan rwgnach a mwmial o dan eu gwynt, a chroesi'r cae gwlyb i gyfeiriad y pentref gan godi eu sgertiau rhag y llaca fel pe baen nhw ar fin gwneud dawns werin. Ochneidiodd yr Archdderwydd a phrocio'r tân gyda'i wialen. 'Wel gwae fi am feddwl bod gobaith i'r Gymru 'ma,' meddai'n ddigalon.

'Y'ch chi eisie dod draw i'r ffarm i gael dysgled o de?' gofynnodd Angharad, gan deimlo rhywfaint o drueni drosto.

'Dim diolch,' oedd yr ateb swta. 'Mi fydda i'n aros yn nhafarn y Stag heno, ac mae'n rhaid i mi fod yn ôl yng Nghaerdydd peth cynta bore fory i gadeirio cyfarfod yn y Cynulliad.' Cododd waelodion ei wisg a cherdded mor urddasol ag y gallai gan ddilyn gweddill y derwyddon i lawr y bryncyn a thuag at y pentref.

Edrychodd Tomos ar lanast y tân ac ar y babell oedd yn dechrau gwyro'n feddw i un ochr.

''Run man i ni fynd 'nôl i'r Hen Ffermdy ta beth,' meddai. 'Rwy wedi blino gormod i boeni am ystlumod yn 'yn byta ni.'

'Ac mae'r gwybed yn 'y nghnoi i nawr.'

Dringodd y tri gan gludo eu sachau cysgu a'r babell yn ôl i gyfeiriad yr Hen Ffermdy.

Lapiodd y niwl yn ôl o amgylch y Maen Hir fel neidr. Yn y tân roedd y marworyn olaf yn gwywo. Tawodd clindarddach y brigau'n llosgi ac roedd y bryncyn eto mor dawel â'r bedd.

Yna, ynghanol gweddillion y lludw, caed symudiad bach. Cododd rhywbeth a edrychai fel mwydyn bach gwyrdd o'r llawr. Ond nid mwydyn mohono ond bys, ac yna llaw. Cyn hir roedd corff cyfan yn ymwthio i'r wyneb drwy'r pridd a'r lludw.

Cododd Arthur o'i fedd, wedi'r cwsg hiraf yn hanes chwedloniaeth, a phesychu'n groch i glirio'r holl lwch o'i ysgyfaint. Estynnodd ei gorff tenau bob ffordd fel un oedd newydd ddeffro, a dylyfu gên. Rhwbiodd ei ben moel, ac yna ymbalfalu am ei gleddyf, cyn cofio nad oedd ganddo'r un.

'O ie, mi wnaeth Bedwyr 'i daflu o i mewn i'r llyn 'na,' meddai, cyn simsanu i lawr ochr y bryncyn ac ar draws y tir corsiog. Rhegodd Arthur. Doedd e ddim yn dda yn y bore beth bynnag, ond wedi mil a hanner o flynyddoedd o gwsg roedd croen ei din ar ei dalcen.

Gwyddai fod ei gorff celain yn anystwyth ac na fyddai hynny'n gwneud y tro. Ni allai ddringo ar gefn ceffyl, heb sôn am arwain byddin i frwydr. Byddai angen corff newydd arno, corff ifanc. Gwelodd lygedyn o olau mewn adeilad ar ben y bryn gyferbyn a dechreuodd hercian yn benderfynol tuag ato.

Pwysodd Tomos ei ben ar y glustog, gan obeithio y câi gysgu heb unrhyw ymyrraeth o'r diwedd. Roedd matras y gwely yn hen ac yn galed ond roedd yn gynnes o dan domen o flancedi ac roedd hi'n nefoedd ar ôl oerfel llaith y cae. Heblaw am yr ystlumod ac oglau tamprwydd a henaint roedd yn lle digon cyfforddus.

Clywodd Angharad yn poeri i'r sinc wrth iddi frwsio'i dannedd yn yr ystafell ymolchi y drws nesaf.

'Rydw i'n mynd i gael cawod,' meddai hi. 'I drio golchi'r wlad allan o 'ngwallt.'

Diffoddodd Tomos y golau bach ar bwys y gwely a throi ar ei ochr. Roedd wedi blino'n lân ond ni allai beidio â meddwl am ei dad, a cheisio dyfalu pam yn union roedd wedi'i wahodd i ymweld ag ef.

Nid Dafydd oedd ei dad 'go iawn', wedi'r cwbl. Fe gafodd ei fabwysiadu yn blentyn bach ond nid oedd yn gwybod fawr am yr amgylchiadau. Dywedodd Dafydd ei fod wedi colli'r dogfennau a gofnodai pwy oedd ei dad go iawn.

Ond doedd Dafydd erioed wedi dangos rhyw lawer o ddiddordeb ynddo. Hen lanc oedd ef, ac roedd wedi goddef presenoldeb y plentyn yn y tŷ, dysgu iddo beth oedd yn ei wybod am y byd a'r betws, ac yna ei wylio â'i lygaid yn sych wrth iddo ymadael am y coleg am bedair blynedd.

Clywodd Tomos ddrws yr ystafell yn gwichian, ac yna llithrodd corff i mewn i'r gwely dwbwl wrth ei ochr.

'Roedd honna'n gawod gyflym,' meddai Tomos, wrth iddo deimlo dwylo oer yn anwesu ei gefn. 'Ych a fi, rwyt ti'n dal yn wlyb ac yn gwynto o'r gors.'

'Rydw i eisiau dy gorff di,' sibrydodd llais yn ei glust.

'O-ho!' meddai Tomos gan wenu. 'Falle fod 'da fi ben tost.'

Daeth golau'r ystafell ymlaen. Cododd Tomos ei ben a gweld bod Angharad yn sefyll wrth y drws.

'Tomos?' gofynnodd, â chryndod yn ei llais.

Trodd Tomos ei ben yn araf, ac wynebu'r creadur pydredig yr olwg a orweddai wrth ei ochr. Agorodd ei geg i sgrechian, ond methodd. Taflodd y flanced dros y creadur a neidio o'r gwely ac i lawr y grisiau gan lusgo Angharad ar ei ôl.

'I feddwl dy fod ti'n credu mai fi oedd y creadur yna,' meddai Angharad, wrth iddyn nhw guddio yn y gegin.

'O'n i'n meddwl dy fod ti'n drewi'n waeth nag arfer...'

'O, mae hynna'n gwneud i fi deimlo'n lot gwell.'

Daeth sŵn traed araf ar y grisiau, ac wedi ychydig eiliadau fe agorodd drws y gegin. Er nad oedd fawr mwy na chroen ac esgyrn roedd y dyn yn llenwi ffrâm y drws. Roedd ei groen yn dynn ar ei wyneb gan amlygu ei ddannedd pydredig a'i lygaid gwaetgoch.

'*An vides quid factus sim?*' gofynnodd, gan hercio atynt a'i freichiau ar led. '*Paene mille annos nihil edi...*'

'Lladin yw'r iaith 'na,' meddai Angharad.

Edrychodd y creadur yn syn arnynt. 'Ydach chi'n dal i siarad iaith y Prydeinwyr?' meddai. 'Roeddwn i wedi disgwyl y byddai pawb yn siarad Lladin erbyn hyn.'

'Dim ond Cymraeg a Saesneg rwy'n eu siarad, boi bach,' bytheiriodd Angharad yn ffyrnig.

'Saesneg?' poerodd y creadur. 'Felly mi wnaeth paganiaid anwaraidd y dwyrain lwyddo i drechu'n byddinoedd...'

Edrychodd Tomos ac Angharad yn bryderus ar ei gilydd.

'Pwy wyt ti?'

'Fi yw Prydain, fel y mae hi nawr,' meddai'r dyn. 'Yn bydredig a gwan, wedi'i goresgyn gan reibwyr estron.' Pwyntiodd fys at Tomos. 'Wedi ei bradychu gan y rhai hynny a oedd i fod i'w gwarchod. Mae angen corff newydd arna i, corff ifanc i arwain y frwydr i adennill ein hysblander gynt... dy gorff di.'

Cododd Angharad botel o jin Dylan oddi ar y bwrdd a'i thorri dros ben y creadur. Disgynnodd hwnnw'n glewt ar ei wyneb ar lawr.

Pwniodd Tomos ef â'i droed. 'Dwi'n meddwl dy fod ti wedi'i ladd e!'

'Mae'n dal i anadlu,' meddai Angharad. 'Dishgwl ar 'i ddillad, a'r patrymau glas ar 'i groen. Mae e fel rhywbeth mas o amgueddfa.'

'Dwyt ti'm yn meddwl fod 'da fe ryw gysylltiad â seremoni'r Orsedd?' meddai Tomos.

'Rhyw hen ddyn gwallgo yw e, debyg. Ond mae'r Archdderwydd yn dal yn aros i lawr yn y Stag. Ffonia fe ac fe gawn ni weld.'

O fewn hanner awr roedd yr Archdderwydd wedi cyrraedd y ffarm a'i wynt yn ei ddwrn, ei byjamas archdderwyddol yn sbecian o dan ei gôt.

'Ble mae Arthur?' gofynnodd yn eiddgar wrth gael ei arwain i mewn i'r gegin. Edrychodd yn bryderus ar y corff ar lawr, a phenlinio wrth ei ochr. 'Eich Mawrhydi... ydych chi ar dir y byw?'

Daeth ochenaid druenus gan y corff ar lawr. 'Na.'

'Rydych chi'n wan, eich Mawrhydi, ond cyn hir mi fyddwch yn gryf. Mae gen i fyddin o genedlaetholwyr tanbaid yn disgwyl eich gorchmynion... Beth ydych chi ei angen?'

Ochneidiodd y corff eto. 'Caledfwlch... y llyn.'

Cododd yr Archdderwydd ar ei draed. 'Bydd yn rhaid i ni fynd â fo yn y car,' meddai. 'Mae'n hen ddyn gwael iawn.'

'I'r ysbyty?' gofynnodd Tomos. 'Mae'n edrych fel petai ar fin marw.'

'Oes yna unrhyw lynnoedd yn agos?'

Edrychodd Tomos arno'n syn. 'Mae yna lyn bach, Llyn y Stôl, draw ar ganol y gors ond dwi erioed wedi bod i lawr yno. Mae'n fwy o bwll nag o lyn, medden nhw.'

'Wel, mi gawn ni weld.' Cododd yr Archdderwydd a Tomos y corff gerfydd ei goesau a'i freichiau a'i gario allan i sedd gefn y car. Taniodd Tomos yr injan a chychwyn i lawr drwy'r pentref gydag Odwyn yn sedd y teithiwr.

'Un o'ch bois chi yw e, ife?' gofynnodd Tomos wrth yrru drwy'r pentref, gan geisio osgoi gwrando ar ochneidio erchyll y corff yn y cefn.

Atebodd mo'r Archdderwydd ef.

'Sut mae dod yn Archdderwydd, felly?' gofynnodd Tomos wedyn.

'Ymroddiad llwyr i Gymru a phopeth Cymreig, a Chymraeg,' meddai'r Archdderwydd. 'A pheidio bod ofn edrych fel ffŵl mewn ffrog wen! Wele, y llyn!'

Stopiodd Tomos y car wrth ochr y llyn ac aeth yr Archdderwydd i agor y drws cefn. Erbyn hyn roedd y dyn yn dechrau dadebru. Rhoddodd Tomos gymorth i'r Archdderwydd ei lusgo o'r car, a'i osod i eistedd ymysg y brwyn.

'Ti'n iawn, mae'n fwy o bwll,' meddai'r Archdderwydd. 'Ond weithiau mae'r pethau mwyaf hynod yn digwydd yn y llefydd mwyaf di-nod.'

Griddfanodd Arthur . 'Fy nghleddyf...' tagodd.

'Rydym ni yma at eich gwasanaeth, eich Mawrhydi. Maen nhw'n dweud y daw'r cleddyf yn ôl drachefn i law gwir arweinydd Cymru.'

Trodd y tri eu pennau a syllu i ganol y llyn. Roedd rhyw gynnwrf yn y dŵr fel pe bai pysgodyn yn symud ac fe gododd rhywbeth o'r tonnau – rhywbeth oedd yn gyfarwydd i Tomos ac eto roedd yn anodd ganddo gredu ei lygaid.

Cleddyf ydoedd a delwedd dwy sarff ar y carn. Yng ngolau'r lleuad disgleiriai'r llafn a gwelwyd dwy fflam o dân yn neidio o enau'r seirff. Ac yn dal y cleddyf, roedd braich euraid merch a godai o ddyfroedd y llyn.

Syllodd Tomos arno'n gegrwth. 'Rwy'n cofio'r stori hyn! Y cleddyf a daflwyd i'r llyn!'

'Caledfwlch,' meddai'r Archdderwydd gan amneidio.

'Cleddyf y Brenin Arthur, wedi'i daflu i'r llyn gan ei farchog Bedwyr cyn iddo farw. Tomos, y creadur hwn yw Arthur, wedi codi o'r bedd. Gyda'r cleddyf yma mi fydd yn arwain byddinoedd ac yn rhyddhau Cymru o orthrwm ein gelynion.'

Syllai Tomos yn anghrediniol ar y dyn a estynnai ei law wantan at y cleddyf.

'Caled-fwlch,' ochneidiodd.

Penliniodd Tomos wrth ei ochr. 'Arthur, gwranda arna i,' sibrydodd.

Trodd y llygaid i syllu ar draws canrifoedd arno.

'Arthur, mae'r byd wedi newid ers dy oes di. Nid trais yw'r ateb i broblemau Cymru mwyach. Nid drwy ddull y cleddyf miniog rydym ni'n ymladd ein rhyfel dros Gymru, ond drwy drafod a gwleidydda!'

Crychodd talcen Arthur. 'Gwlei...dydd...a?'

'Mewn gwleidyddiaeth,' meddai Tomos. 'Rwyt ti'n cael eistedd tu ôl i ddesg gyfforddus drwy'r dydd, ti'n cael cynllwynio a thwyllo cymaint a fynni di, a does dim rhaid mynd i frwydr.'

'Beth am geffylau?' gofynnodd Arthur.

'Fe gei di un o'r ceffylau metel hyn am ddim,' meddai Tomos gan gyfeirio at ei hen gar. 'Ond un lot neisiach na hwn. Car gweinidogaethol ac fe gei di ei redeg e ar draul y cyhoedd.'

'Peidiwch gwrando arno, eich Mawrhydi!' gorchmynnodd yr Archdderwydd yn chwyrn. 'Rydw i'n gweithio yn y Senedd, ac rydw i'n bennaeth ar Orsedd y Beirdd, a does yr un ohonyn nhw yn ddim ond siopau siarad, biwrocratiaeth wag, cyffion am draed y Cymry, yn cyflawni dim oll yn y pen draw!'

Pendronodd Arthur am ennyd, cyn estyn ei law tuag at Odwyn. 'Rwyt ti'n aelod pwysig o'r Senedd, meddet ti? Mae gennyt lawer o rym?'

'Oes, eich Mawrhydi.'

'Yna, mi wneith dy gorff di'r tro.'

Ar y gair cododd niwl disglair o gorff Arthur ar y llawr a threiddio i mewn i gorff yr Archdderwydd. Sgrechiodd hwnnw mewn braw ac ysgwyd fel pe bai sioc drydanol wedi mynd trwyddo, cyn disgyn ar ei bedwar ar lawr.

Pydrodd hen gorff Arthur yn y fan a'r lle, fel petai wedi marw gannoedd o flynyddoedd yn ôl. Ar ôl ychydig o eiliadau cododd yr Archdderwydd ei ben eto a gwenu ar Tomos.

'O! rydw i'n teimlo'n ifanc unwaith eto,' meddai gan gymryd anadl ddofn.

'Beth ddigwyddodd?' gofynnodd Tomos yn syn.

'Mi wnes i fy mhenderfyniad, fydd dim angen dy gorff di arna i mwyach,' meddai'r Archdderwydd wrth godi ar ei draed. Cerddodd yn ôl ac ymlaen yn ei unfan fel dyn yn trio pâr newydd o esgidiau.

Symudodd Tomos i gyfeiriad y car.

'Mi wna i gerdded yn ôl i'r dafarn,' meddai'r dyn, fel pe bai'n meddwl yn uchel.

Cododd Tomos ei law. 'Mwynha dy yrfa newydd,' meddai, heb wybod beth arall i'w ddweud.

Aeth i mewn i'r car a throi'r allwedd. Wrth syllu drwy ffenest yr ochr, gwelodd y cleddyf a'r fraich a'i daliai yn suddo'n ôl o dan wyneb y llyn tawel.

Y PORTHWLL

Cododd pen Tomos o'r ewyn gwyn a thisian i waredu'r dŵr hallt drwy'i ffroenau wrth i'r llanw lifo'n ôl.

'Brr... mae... mae'n rhewi.'

'Rwy'n gallu gweld hynna o fan hyn,' meddai Angharad, a hithau'n eistedd ar y traeth yn craffu ar y papur newydd yn ei llaw.

'Ti... ti'm yn do... dod i mewn?'

Edrychodd Angharad ar y creigiau uchel, serth a godai bob ochr i'r gilfach o dywod, a sylwi ar y cymylau duon uwch eu pen.

'Dwi ddim yn credu. Pan ddywedest ti fod y tŷ ffarm wrth y traeth roedd 'da fi ddarlun mwy *glamorous* yn fy meddwl, rhaid i mi ddweud. Ond mae'r tai yna'n neis.' Edrychodd dros ei hysgwydd ar y tai lliwgar difywyd oedd yn wynebu'r traeth.

'Tai haf yw'r rheina.'

'Ie, bydde'n neis gallu fforddio un. Neu un yn Sbaen lle mae'n ddiogel i nofio.'

'Mae'n berffaith ddiogel yma. Ro'n i'n nofio fan hyn pan o'n i'n ble... blentyn,' meddai Tomos dan grynu, ac yna trodd a syllu ar y gorwel llwyd o'i flaen. 'Weithiau ro'n i'n meddwl dianc, a nofio i Iwerddon.'

'I ti gael osgoi dy dad, ife?'

Trodd Tomos yn ôl at y traeth. 'Tad mabwysiedig,' meddai.

'Wn i ddim beth sydd ar 'i ben e. Mae'n 'y ngwahodd i ddod gartre ac wedyn ddim yn siarad â fi am by... bythefnos.'

'Mae e'n brysur wrthi'n ffermio o fore gwyn tan nos. A chaiff e ddim llawer o gyfle os wyt ti'n cadw mas o'i ffordd e drwy'r amser. Mae'n rhaid 'i fod e'n unig fyny fan'na ar 'i ben 'i hunan.'

Crychodd Tomos ei dalcen wrth edrych i fyny ar y cymylau'n ymgasglu uwch ei ben. 'Dyna sut mae e'n licio pethe. Dy'n ni eriôd wedi gweld lygad yn llygad. Beth bynnag odd 'yn nhad go iawn i, rhaid nad odd e ddim yn ffarmwr.'

'Mae'n rhaid bod gan dy dad rywfaint o ffrindie.'

'Roedd 'da fe gi ar un adeg.' Ysgydwodd Tomos ei ben yn yr awel oer i sychu'i wallt. 'Clamp o fwngrel mawr o'r enw Gelert, a hwnnw'n edrych fel blaidd. Ond 'y nghi i oedd e i bob pwrpas. Bydde fe'n cysgu wrth droed 'y ngwely i, a fe oedd yn cerdded gyda fi lawr i'r ysgol gynradd bob bore ac yn dod i gwrdd â fi yn y prynhawn. Fe ddath o hyd i fi, medde Dad, ar noson stormus mewn bôn coeden wedi'i hollti gan daran.'

'Oeddet ti'n credu hynny?'

'Wnaeth e ddim hyd yn oed dweud wrtha i pan ath e â Gelert at y fet i'w roi e i gysgu. O'n i'n grac uffernol.'

'Pam dy fod ti'n grac?'

'Ro'n i eisiau bod gyda Gelert pan ath e.' Anadlodd yn ddwfn, a hanner difaru ei fod wedi gadael i Angharad agor hen grachen. 'Gelert oedd 'yn ffrind gore i pan o'n i'n blentyn. Wnath Dad ddim hyd yn oed ddod â'r corff yn ôl o le'r fet er mwyn i fi ga'l 'i gladdu fe.'

Ciciodd Tomos y tywod dan draed a'i wylio'n arnofio i ffwrdd i gyfeiriad y llanw.

'Rodd hi'n anodd ar dy dad hefyd, cofia, Tomos. Mae colli ci i ffarmwr... fel colli braich, on'd yw e?'

'Dyw e byth yn dangos 'i deimlade,' meddai Tomos. 'Wnath e ddim 'y nghysuro i pan o'n i mor ddigalon. Bryd hynny sylweddoles i na fyddwn i byth yn ffarmwr caled fel fe a'n bod ni'n ddau berson gwahanol iawn. Nid fe oedd 'y nhad i a doedden ni ddim yn *compatible*, rywsut.'

'Mae rhai pobl yn 'i chael hi'n anodd i ddangos cariad, Tomos,' meddai Angharad. 'Mae'n eitha amlwg 'i fod e'n dy garu di neu fydde fe ddim wedi dy fabwysiadu di yn y lle cynta.'

'Dyw e ddim yn gwbod sut i ymwneud â phobol. A'r unig deulu sy 'da fe yw be ma'n ffindo a be ma fe'n 'i brynu yn y farchnad, fel fi a Gelert.'

'Tomos!' ceryddodd Angharad. 'Dyle fe fod wedi dy adael di yn y goeden 'na os wyt ti mor anniolchgar â hyn.'

'Ti byth yn dweud pethe neis am dy rieni di.'

'Maen nhw'n boring uffernol, ydyn. Bydden nhw'n darllen llyfre am blatie tectonig i fi cyn mynd i'r gwely pan o'n i'n fach.'

'O leia roedden nhw'n darllen rhywbeth i ti...'

'Ond rwy'n dal yn 'u caru nhw.'

Torrwyd ar dawelwch y traeth gan sŵn aflafar o fag Angharad.

'Dwi 'di cael *text message*!' meddai wedi sioncio trwyddi, a chrafangu'n orffwyll am y ffôn yn y bag. 'Mae 'na signal fan hyn.' Tynnodd y ffôn allan a'i agor, a darllen y neges. *'Hi Angharad I hear you're living with Tom the farmer now, on a farm? Cool.'* Ysgyrnygodd Angharad. 'Y bitsh!'

Synhwyrodd Tomos fod Angharad wedi pwdu, felly plymiodd yn ôl dan y dŵr fel crwban yn cilio i'w gragen. Gallai feddwl yn gliriach o dan y dŵr, fel pe bai yn ei elfen naturiol yno.

Gallai weld drwy'r tonnau fod cefn crwm Angharad wedi

troi yn ei erbyn. Doedden nhw ddim wedi bod yng nghwmni ei gilydd gymaint o'r blaen ac roedd Tomos yn gobeithio nad dyna fyddai diwedd eu perthynas. Roedd hi'n haws dod ymlaen pan fydden nhw ond yn gweld ei gilydd am ddwy awr bob nos cyn mynd i gysgu, a byddai chwarter y cyfnod hwnnw'n chwarae o gwmpas yn y gwely.

Ond roedd rhywbeth mwy solet am eu perthynas fan hyn. Ynghanol bwrlwm Caerdydd roedd eu perthynas yn rhwydd. Yn llonyddwch ac oerfel Pen-y-graig, roedd eu perthynas wedi caledu, fel jeli. Pa siâp fyddai ar y jeli hwnnw, wyddai e ddim.

Aeth yn fyr o wynt o dan y dŵr, felly cododd i'r wyneb i gysuro ei gariad, a gweld Dylan yn cerdded ar hyd y lôn tuag at y traeth a llyfr trwchus dan ei gesail.

'Fama dach chi'n cuddio!' bloeddiodd wrth nesáu. 'Ro'n i'n gallu'ch gweld chi o dop y bryn.'

'Roeddet ti'n yn y stafell molchi lawr stâr a doedden ni'm yn moyn dy styrbo di,' eglurodd Tomos. Roedd wedi cnocio ar y drws yn gynharach, ac wedi clywed gwynt tebyg i oglau riwbob yn treiddio o dan y drws ac i'r cyntedd, a sŵn ffrwtian a berwi. 'Beth oeddet ti'n 'i neud mewn 'na?'

'Dim byd,' atebodd Dylan yn frysiog a golwg euog arno.

'Mae pawb angen 'i *personal space*, Tomos,' meddai Angharad yn swta.

Eisteddodd Dylan ar y tywod oer heb synhwyro'r tyndra rhyngddynt ac edrych tuag at y gorwel, fel y gwna pawb pan fyddan nhw'n gweld y môr, fel pe baen nhw'n disgwyl gweld rhywbeth diddorol.

'Mae'n neis yma.'

Wedi ychydig funudau o fyfyrdod tawel edrychodd ar bentwr papurau newydd Angharad.

'Y *Financial Times*, Angharad? Dwi'n *impressed*.'

'I'r stafell fyw maen nhw, i neud yn siŵr bod yr ystlumod ddim yn cachu dros bob dim eto. Ac ro'n i'n meddwl y byddwn i'n edrych drwy'r papurau newydd am swyddi i ni'n tri,' ychwanegodd yn sionc. 'Dyma'r drydedd wythnos ry'n ni wedi bod yn iste ar 'yn tine.'

Llusgodd Dylan gopi o'r *Western Mail* allan o'r pentwr. 'Swydd?' gofynnodd, wrth fflicio drwy'r tudalennau. '*A mug's game.*'

'Ro'n i'n meddwl nad o't ti'n moyn mynd ar y dôl,' meddai Tomos, wrth gerdded allan o'r dŵr a sychu ei wallt gyda thywel.

'Na, ond sgen i'm awydd gweithio fel pry pw drwy f'oes, yn cario morgais fel pelen o gachu ar 'y nghefn, tan fod y pwysa'n 'y ngwasgu i'n farw, chwaith,' meddai Dylan. 'Ma 'mrawd i ar y dôl a Dad yn gweithio, a tydi'r naill ddim yn well off na'r llall. *Cofi's bane* ydy job.'

'Ond rhaid i ti dalu *off* dy *student loan* rywsut,' meddai Angharad.

'Ma gen i rwbath ar y *go*,' meddai Dylan, gan daro bys cyfrinachgar ar ei drwyn. 'Dwi wedi gwneud buddsoddiad bach ddyla wneud tipyn o bres i fi yn yr hir dymor.'

Edrychodd Angharad a Tomos ar ei gilydd a chodi eu hysgwyddau.

'Beth bynnag,' meddai Dylan. 'Dois i lawr yma i'ch rhybuddio chi, gan eich bod chi ar lan y môr. Dylach chi gadw golwg am ysbrydion morwyr fu mewn hen longddrylliad yma yn 1825.' Cododd y llyfr trwchus clawr caled, gwyrdd a'i ddangos iddyn nhw. '*Chwedlau a Mytholeg Pentref Pen-y-graig*! Roedd o ar silff yn 'yn stafell i.' Agorodd y gyfrol a rhedeg ei fys ar hyd un o'r tudalennau.

'Does yna'm sôn am Lyn y Stôl yn hwnna, nag o's?' gofynnodd Tomos.

'Na, ond mae rhai o'r rhain yn eithaf *spooky*,' meddai Dylan. 'Gwrandewch ar hwn.' Pesychodd. 'Porthladd pysgotwyr prysur oedd Pen-y-graig yn yr 19eg ganrif ac mae'r creigiau serth yn ymyl y lan wedi hawlio eu cyfran o eneidiau. Byddai aml i wasanaeth yn yr hen gapel ar waelod y bryn i goffáu'r morwyr a gollodd eu bywydau yng nghethrau'r môr. Efallai fod hyn, a hanesion am olion hen fynwent Geltaidd yn yr ardal, wedi hybu nifer o ofergoelion ymysg pobl yn y pentref. Wwwwww...'

Chwythodd chwa o wynt oer, oer drwy'r gilfach gan godi croen gŵydd ar gefn Tomos.

'Y gred gyffredinol, ia,' ychwanegodd Dylan, 'oedd bod ffigwr rhithiol a elwir "yr Angelystor" yn ymweld â mynwent yr eglwys bob blwyddyn, ar Hydref 31 – Calan Gaeaf. Byddai hyd yn oed y gweinidog yn cadw draw o'r capel ar y noson honno. Ond mae'r rhai a fu'n ddigon dewr i aros ym mynwent yr eglwys yn honni iddyn nhw glywed yr Angelystor yn darllen o'i lyfr – llyfr hynafol o ddechrau'r cread sy'n cynnwys enw pob aelod o'r plwyf a fydd yn marw o fewn y flwyddyn nesaf...

'Un dyn na chredai'r hanes oedd y Capten Trefor Meirion, a wnaeth fet gyda'i ffrindiau yn nhafarn y Stag y byddai'n aros ym mynwent yr eglwys tan hanner nos, o dan yr hen goeden ywen lle byddai'r Angelystor, yn ôl yr honiad, yn ymddangos bob blwyddyn...'

Ochneidiodd Angharad. 'Ie, ie, fe glywodd ei enw ei hun yn cael ei lefaru a bu farw ychydig wythnosau wedyn mewn llongddrylliad erchyll. Mae'r straeon ysbrydion yma i gyd yr un peth.'

Caeodd Dylan y llyfr yn glep, a thasgodd cwmwl o lwch i'w wyneb. 'Mae'n Galan Gaeaf ddydd Gwener,' meddai. 'Felly cawn ni weld ydy'r stori'n wir ai peidio!'

'Dylan, dydw i ddim yn aros mas yn y gwynt a'r glaw tan

hanner nos oherwydd rhyw chwedl wirion. Dwed wrtho fe, Tomos.'

'Sai'n credu bod yr Angelystor yn bodoli, Dylan,' meddai Tomos yn ansicr. Edrychodd allan i'r môr llwyd lle y gorweddai cyrff y morwyr. Doedd e ddim wedi sôn gair wrth neb am ei brofiad wrth y llyn, a bellach, doedd e ddim yn llwyr gredu ei atgof ei hun hyd yn oed. 'Ta waeth, does neb ar ôl yn y pentref erbyn hyn i ddarllen eu henwau nhw mas.'

Roedd hi'n dechrau tywyllu, felly fe benderfynon nhw ei throi hi am adref, a chwedl angheuol yr Angelystor yn prysuro'u camau. Sychodd Tomos ei hun yn frysiog yn yr awel oer a chodi'r darnau o bapur newydd oedd wedi chwythu o afael Angharad ar hyd y traeth.

Cododd ddarn o'r *Western Mail* a bu bron i'w galon rewi pan welodd lun o'r Archdderwydd mewn siwt las yn edrych i fyw llygad y camera a golwg herfeiddiol ar ei wyneb. Edrychai fel pe bai'n traddodi araith frwd ar lawr siambr gron y Senedd.

Darllenodd Tomos yr erthygl yn frysiog. Yn ôl y papur, roedd plaid wleidyddol yr Archdderwydd wedi ffurfio clymblaid gyda gwrthblaid arall ac yn bygwth pleidlais o ddiffyg hyder yn y llywodraeth. Doedd Tomos yn deall fawr ddim am wleidyddiaeth a phenderfynodd ofyn am farn Dylan yn hwyrach. Roedd hwnnw'n hoff o gwyno am ryw wleidydd neu'i gilydd o'i gadair freichiau, er na fyddai byth yn codi o'r gadair honno i wneud dim oll am y peth. Plygodd Tomos y darn papur a'i stwffio i boced ei siorts, cyn prysuro ar ôl y ddau arall.

Yr arogl ddeffrodd Tomos gyntaf. Tynnodd y flanced oddi ar ei wyneb ac edrych o gwmpas yr ystafell. Ymdreiddiai golau gwanllyd y bore bach o dan y llenni ac fe gymerodd ychydig eiliadau iddo sylweddoli beth oedd o'i le. Wedi i'w lygaid gynefino â'r golau gwan, sylwodd fod pâr ychwanegol o draed ar waelod y gwely. Ysgydwodd ei fodiau i wneud yn siŵr nad ei draed ef oedden nhw, ac yna pwnio Angharad gyda'i benelin.

'Angharad, dihuna,' sibrydodd Tomos.

'Be sy?' mwmiodd hithau a'i gwallt hir wedi'i lapio'n dwrban melyn o gwmpas ei hwyneb. Trodd drosodd yn y gwely a chlywodd Tomos sŵn tincial poteli o dan y flanced.

Estynnodd Tomos ei law o dan y gorchudd a thynnu allan potel wag o win. 'Ma 'na feddwyn yn y gwely,' meddai.

'Dylan?' gofynnodd Angharad yn syn. Roedd hi'n gwbl effro erbyn hyn. 'Dim yr hen ddyn 'na eto?'

Yr eiliad honno canodd ceiliog y ffarm, drosodd a throsodd, a dechreuodd y twmpath a orweddai rhwng y ddau gynhyrfu. Llithrodd i waelod y gwely ac allan a throi i wynebu'r ddau yn gwbl noeth.

'Henffych well, gyfeillion,' meddai gan ddylyfu gên. 'Bore ysblennydd...' Dyn ifanc oedd e, pryd golau â bonion ei farf ar ei ên yn olion eilliad blêr. Rhwbiodd ei dalcen. 'Ewadd annwyl, mae gen i ben mawr u-ffern-ol.'

'Ti'n gwybod ble rwyt ti, achan?' holodd Tomos yn syn.

'Welais i mo enw'r dafarn,' atebodd yntau, 'ond mae ganddyn nhw gasgliad amheuthun o ddiodydd y tu ôl i'r bar.' Trodd gan ddangos ei ben-ôl gwyn i'r ddau, a cherdded yn simsan i mewn i'r ystafell molchi. 'Ydyn nhw'n paratoi brecwast yma, dach chi'n gwybod?'

Cydiodd Angharad ym mraich Tomos. 'Galwa'r heddlu!' sibrydodd. Tynnodd Tomos ei ffôn symudol o'i drowsus ac agor y caead.

... Lle ddiawl ma'r bwced piso... A, dyma fo...

Daeth cnoc ar y drws, a chyn i Tomos gael cyfle i ateb brasgamodd Dylan i'r ystafell a llond ei ddwylo o boteli gwag.

'Mae 'na ryw sglyfath wedi dwyn 'y niodydd i!' meddai. 'Mae yna *trail* o boteli gwag yn arwain at y stafell yma.'

Syllodd yn gyhuddgar arnyn nhw pan welodd bentwr o boteli wrth droed y gwely.

'Mae yna rywun wedi torri i mewn, neithiwr,' sibrydodd Angharad, gan wneud ystum i gyfeiriad yr ystafell ymolchi. 'Ry'n ni am alw'r heddlu.'

'Yr heddlu!' ebychodd Dylan, fel pe bai wedi cael ei daro yn ei stumog, a gadael i hanner y poteli ddisgyn o'i afael. 'Na, allwch chi ddim gneud hynny. Bydda i'n siŵr Dduw o gael 'yn arestio!'

Daeth bloedd o ofn o'r ystafell ymolchi hefyd a llamodd y dyn noeth yn ôl i'r ystafell. 'Na!' meddai. 'Beth ydych chi'n ei wneud?'

'Dy'ch chi ddim i fod yma ac ry'ch chi wedi dwyn diod Dylan!' meddai Tomos. 'Ry'ch chi wedi torri'r gyfraith a bydd yn rhaid eich arestio chi!'

'O, na, dwi'n erfyn arnoch! Milwyr Brenin y Gogledd? Mi wnân nhw'n hongian i gerfydd fy ngheilliau... os gwelwch yn dda, mi alla i dalu mwy na'r pris sydd ar fy mhen i chi.'

Caeodd Tomos gaead ei ffôn.

'Beth wyt ti'n 'i neud?' sibrydodd Angharad yn flin.

'Ti'n clywed hynna? *Police brutality*! Sa i'n mynd i'w roi yn nwylo'r heddlu rhag ofn iddyn nhw roi cweir iddo fe.'

Ymlaciodd Dylan a'r dyn noeth, ond yna clywsant rywun yn curo ar y drws ffrynt a rhedodd y ddau i guddio. Syllodd Tomos drwy'r ffenest. Roedd ei dad yn sefyll ar y buarth, yn edrych i fyny tuag ato.

'Tomos! Coda o'r gwely 'na'r diawl diog!' bloeddiodd, gan ysgwyd y cryman miniog yn ei law.

'O na, Dad sy 'na!' meddai Tomos. 'Angharad, cwata'r meddwyn 'na yn rh'wle, wnei di. A bagla hi, Dylan. Ma pethe'n ddigon drwg 'ma'n barod heb i Dad feddwl 'yn bod ni'n cael *four in a bed*!'

Gwisgodd Tomos amdano a rhedeg i lawr y grisiau i ateb y drws, ond roedd ei dad eisoes yn yr ystafell fyw, yn eistedd ynghanol y pentwr o bapurau newydd, yn tynnu ar ei getyn.

'Yr hen ystlumod yn dal i roi gofid i chi, ydyn nhw?' gofynnodd, gan bwffian mwg. 'Tomos, iste. Dwi moyn siarad 'da ti.'

Eisteddodd Tomos, a golwg anghyffyrddus ar ei wyneb. 'Allet ti ddiffodd y cetyn 'na, Dad?' gofynnodd. 'Dyw Angharad ddim yn hoffi'r ogle mwg ar y celfi.' Gallai ei chlywed hi'n ceisio ymresymu gyda'r meddwyn cynhyrfus i fyny'r grisiau, ac roedd golwg hyd yn oed yn fwy prudd nag arfer ar ei dad.

Parhaodd Dafydd i smygu'n hamddenol. Pesychodd un o'r ystlumod uwch ei ben.

'Mi fuodd 'na ddyn 'co'r dydd o'r bla'n, eisie prynu'r ffarm,' meddai'n ddifrifol. 'Cern... rhywbeth.'

'Gwych,' meddai Tomos.

'Na, dim o gwbwl. Trychineb!'

'Hen bryd i chi ymddeol,' meddai Tomos.

'Wna i ddim ymddeol,' meddai Dafydd, ac anelu'i getyn tuag at Tomos, 'tan byddi di'n tynnu dy fys mas a dechre cymryd rhywfaint o gyfrifoldeb am y ffarm...'

'O, blincin *hell*, Dad, dim hyn 'to. Dwi ddim yn moyn bod yn ffarmwr!' Dechreuodd Tomos godi, ond o weld yr olwg finiog yn llygaid ei dad eisteddodd unwaith eto.

'Ers cannoedd o flynyddoedd mae'r teulu wedi ffarmio'r tir hwn!' meddai Dafydd. 'Roedden ni, hyd y gwn i, yn 'i ffarmio 'nôl yn oes y Rhufeiniaid!'

'Dwi ddim hyd yn oed yn rhan o'r teulu! Wnest ti a dy gi ddod o hyd i fi ar ochor yr hewl yn rh'wle.'

'Ma gwlân yn dewach 'na gwaed, Tomos Ap!' meddai Dafydd. 'Rwy i wedi dy fagu di ar y ffarm 'ma ers pan oeddet ti'n ddim o beth. Ma'r tir yn rhan ohonot ti gymaint ag yw'n rhan ohono i.' Ymlaciodd rywfaint ac edrych yn synfyfyriol i'r lle tân. 'Fydda i ddim 'ma'n hir iawn, Tomos. Ma'n rhaid i ti dderbyn… rhai cyfrifoldebe pwysig. Mae angen rhywun i gadw golwg dros y tir. Mae angen bugail ar Ben-y-bryn.'

Yr eiliad honno, cerddodd y dyn blewog i mewn i'r ystafell. Roedd e wedi gwisgo amdano, diolch byth, ond gwisgai diwnig brethyn a'i goesau a'i freichiau'n noeth.

'Y… dad, dyma un o fy… ffrindie coleg,' meddai Tomos yn chwithig.

Fe aeth y dyn blewog ar ei bedwar a dechrau chwilota wrth y lle tân. Syllodd Dafydd arno a'i lygaid yn culhau.

'I be ma fe'n dda 'ma? Dou o dy ffrindie odd yn aros 'ma meddet ti.'

Meddyliodd Tomos yn gyflym. 'Draw am y parti Calan Gaea,' meddai. 'Ti'm yn cofio hynny, Dad, yr hen bartïon roedden ni'n arfer 'u cael yn y pentre? Gan nad oes fawr o neb yn byw yn y pentre erbyn hyn ro'n i wedi meddwl y bydden ni'n gallu 'i gynnal e 'yn hunen, a gwahodd 'yn ffrindie coleg…'

'Dwi'n siŵr mai fan hyn oedd o…' meddai'r dyn blewog, wrth redeg ei fysedd ar hyd y cerrig yng nghefn y lle tân.

'Wel, well i mi 'ych gadel chi i'ch… mwynhewch y parti,' meddai Dafydd, gan ddal i rythu'n ddrwgdybus ar y dyn rhyfedd. 'Fe wna i gadw golwg dros y tŷ, fel arfer, Tomos. A meddylia di be wedes i wrthot ti gynne fach!'

Cododd a mynd at y drws. Daeth Angharad i lawr y grisiau a dweud 'Helô Mr Wyn!' Ond fe chwyrnodd arni hi a gadael. 'Dwi mor sori, Tomos,' meddai hi, 'troies i 'nghefen am eiliad… Be ma e'n treial neud?'

'Dwi'n siŵr mai trwy fan yma y dois i,' meddai'r dyn, wrth gyffwrdd â'r cerrig. 'Rhyw fath o giât yn y wal... '

Gosododd Tomos law ochelgar ar ei ysgwydd. 'Hei, gyfaill, pwy ar y ddaear wyt ti?' gofynnodd. 'Gwell i ti roi ateb call neu fe alwa i'r heddlu.'

Cododd y dyn ifanc ar ei draed a chyfarch Tomos. 'Ceredin ap Caradog ydwyf fi! A thithau?'

'Tomos Ap.'

'Tomos Ap pwy?'

'Neb, fe ges i fy mabwysiadu. O ble wyt ti'n dod?'

'Petawn i'n gwybod ymhle yr ydwyf yn awr, mi fyddwn i'n gwybod o ble y deuthum i,' meddai, gan grafu ei ben.

Yn nhafarn y Stag safai Idwal y tu ôl i'r bar, yn disgwyl yn eiddgar am archeb gan y dyn a'r ddynes a eisteddai yn y gornel, y rhai a fu'n rhentu ystafell ganddo ers wythnosau. Roedd llawer gwell graen ar y dyn erbyn hyn. Awyr iachus y wlad, a bwyd da'r Stag, wedi gwneud lles iddo, meddyliodd Idwal.

'Rydw i'n teimlo'r hud yma, Ceridwen, ac rydw i'n teimlo fy nerth yn dychwelyd,' sibrydodd yr hen ddyn wrth ei gymar.

'Heb os nac oni bai mae'r porthwll yn agos, ac wedi'i agor yn ddiweddar,' meddai hithau. 'Pe baem ni'n medru cael gwared â'r perchennog mi fyddai'n llawer haws chwilio amdano.'

'Os na allwn ni gael gwared ag ef gydag arian,' meddai'r hen ddyn, 'bydd yn rhaid defnyddio dulliau eraill.'

'Mae ein hysbiwyr yn dweud fod yna ymwelwyr yn aros ar y ffarm, felly gallai "dulliau eraill" fod yn broblem. Fe fyddai'n beryglus ceisio eu difa nhw i gyd...'

'Pe bai modd gyrru neges at y lleill...'

Pesychodd Idwal i ddal sylw'r ddau. 'A, helô, wedi deffro'n

barod,' meddai gyda gwên ffals ar ei wyneb. 'Gawsoch chi noson dda o gwsg?'

Trodd Cern ei ben ato. 'Roedd yr ystafell yn dderbyniol, fel arfer,' meddai.

'Fyddech chi'n hoffi brecwast?'

'Un baedd gwyllt cyfan, rhwng dau, os gwelwch yn dda.'

'A ffiol o fedd, i'w wneud yn ffrwythlon,' meddai Ceridwen, gan syllu'n gariadus ar Cern.

Fe aeth Idwal i'r gegin gefn mewn penbleth. Yr un archeb wirion bob bore, meddyliodd, a phob bore roedden nhw'n cael yr un brecwast: sosej, bîns a chips a we-hei!

'Be sy'n dod â chi'ch dou i'r ardal?' gofynnodd, wrth ddod â'r bwyd atynt.

'Mae gen i ddiddordeb mewn prynu ffarm gyfagos,' meddai Cern.

'O! Wyddwn i ddim fod neb ffor' hyn yn gwerthu.'

'Dim... eto,' meddai Cern. 'Rydym ni'n gobeithio prynu fferm Dafydd Emrys Wyn.'

'Wyn Pen-y-bryn? Does dim gobaith 'da chi i'w gael e i werthu,' meddai Idwal gan chwerthin. 'Ma'r hen ddyn yn rhedeg y lle fel watsh. Yn ystod yr argyfwng clwy traed a'r genau fe ddefnyddiodd gymaint o ddiheintydd fel na ddaliodd neb yn y pentre gymaint ag annwyd am dair blynedd. Mae'n ofalus iawn o'i ddefaid. Dywedodd e wrtho i: "Petai unrhyw arwydd o salwch ar un ohonyn nhw, Idwal, byddai'n rhaid i fi ddifa'r cwbl lot."'

'Difa'r cwbl?' meddai'r dyn, gan grechwenu'n faleisus.

Cododd Idwal ei ysgwyddau, a gadael iddyn nhw fwyta eu brecwast.

Trodd Dylan yr allwedd yn nrws yr ystafell ymolchi lawr grisiau a thynnu'r cortyn i oleuo bwlb noeth a hongiai uwchben y bath. Edrychai'r bath fel petai rhywun wedi'i gamgymryd am y toiled. Roedd yn llawn hyd yr ymylon o hylif brown a edrychai ac a ogleuai yn amheus iawn. Safai Tomos, Angharad a Ceredin ap Caradog wrth y drws, yn syllu'n gegrwth. Roedd yr ager wedi staenio'r nenfwd yn frown a glynai eu traed noeth wrth y llawr gludiog.

'Do'n i ddim isio i'r heddlu ddod o hyd i'r lle 'ma, ia,' meddai Dylan. 'Gafon nhw lwmp o jaman pan ddaru nhw ffeindio bod Dad 'di bod yn rhedag siop fwtsiar yn sied gefn.'

'Beth wyt ti 'di bod yn neud?' gofynnodd Angharad, yn crychu ei thrwyn oherwydd yr oglau cryf.

'Cymysgedd o alcohol pur ac aeron merywen,' meddai Dylan. 'Mantais hyn dros greu whisgi yw nad oes angan gadael iddi fo aeddfedu. Ti jest yn cymysgu'r cyfan a voilà, llond bath o jin.'

Gwasgodd Ceredin ei ben drwy'r drws y tu ôl i'r lleill a syllu'n chwilfrydig ar y bwlb golau.

'Ga i dreial ychydig?' gofynnodd Tomos.

Trochodd Dylan un o'i boteli yn yr hylif aflan. 'Mae o chydig bach yn giami, ond mi fydda i'n perffeithio'r resipi cyn bo hir.'

Cymerodd Tomos y botel, a'i dal at ei drwyn. Pesychodd wrth i'r oglau godi i'w ffroenau. 'Faint wyt ti wedi'i ddiliwtio ar hwn?' gofynnodd.

'Diliwtio?'

'Ie, cymysgu fe â dŵr. Mae e tua naw deg pump y cant *proof*,' meddai Tomos, a'i lygaid yn dyfrio. 'Bydde'r *fumes* yn ddigon i biclo afu tarw.'

Cymerodd Ceredin y botel oddi arno, llowcio joch a phesychu'n egnïol. 'Mae'n boethach na phiso draig,' meddai. Gwenodd. 'Llongyfarchiadau, fy nghyfaill. Gyda'n gilydd gallwn ddrachtio'r bath yn sych.'

Gwelodd Tomos fod Angharad yn meddwl am rywbeth wrth edrych i fyny tua'r to. 'Pam nad yw'r ystlumod yn dod i mewn fan hyn?' gofynnodd.

'Mi wnes i ffeindio un yn bobian ar 'i gefn yn y bath unwaith,' meddai Dylan. 'Dwi'n meddwl bod yr ogla'n ormod i'r conts bach.'

Bachodd Angharad y botel o law Ceredin a chamu i'r cyntedd, ble roedd ystlum bach yn hongian o un o'r bachau cotiau. Daliodd y cymysgedd dan drwyn y creadur a chydag un ffroenad o'r mygdarth disgynnodd oddi ar ei glwyd yn glewt ar lawr.

'Faint o'r stwff 'ma sy 'da ti ar ôl, Dylan?' gofynnodd Angharad.

'Digon i wireddu 'mreuddwyd o fod yn jin *tycoon*,' atebodd Dylan.

'Bydd angen y cwbl lot arna i,' dywedodd hithau.

Cludodd Tomos yr arwydd 'Parti Calan Gaeaf Pen-y-bryn' allan a'i roi i bwyso yn erbyn ochr yr hen dŷ. Wedyn gosododd saith pwmpen wedi'u naddu'n siapiau yn y mwd o'i amgylch.

'Pam bod ni'n cael parti Calan Gaeaf?' gofynnodd Angharad, wrth daflu ystlumod meddw allan o ffenest y llofft.

'Am 'mod i wedi gweud wrth Dad bod ni'n cael parti Calan Gaeaf,' meddai Tomos.

'A pam yn union wnest ti ddweud hynny wrtho?'

'I esbonio be oedd dyn hanner noeth yn 'i neud yn y tŷ!'

'Pam bod angen esbonio? Dylen ni fod wedi ffonio'r *paddy wagon*.'

Edrychodd Tomos draw i gyfeiriad Ceredin, oedd yn

crwydro'r cae'n casglu coed i'r tân.

'Welest ti 'i wyneb e pan wnes i fygwth galw'r heddlu?' gofynnodd Tomos. 'Ma 'na greithie seicolegol dwfn fan'na.'

'Falle 'i fod e wedi dianc o ysbyty'r meddwl. A be mae'n mynd i'w wisgo i'r parti Calan Gaeaf?'

'Ceith e fynd fel fe 'i hunan, am wn i. Dyn mewn cadache. Mae e'n edrych fel rhywbeth o oes y chwedle, ta beth.'

Yna gwelodd Tomos ddau ddyn ifanc yn ymlwybro i fyny'r lôn tuag at y tŷ. Ond wrth iddynt agosáu, gwelodd fod un yn ferch, a'i bod wedi glynu mwstas trwchus llwyd o dan ei thrwyn. Roedd y ddau'n gwisgo helmedau melyn a siacedi glas.

'Pwy 'ych chi i fod?' gofynnodd Tomos.

'Fi yw Sam Tân,' meddai'r bachgen. 'A hi yw'r Prif Swyddog Steele.'

'Hmmm, glywson ni fod parti Calan Gaeaf yn y cyffiniau, Criddlington,' meddai'r Prif Swyddoges mewn llais ffug ddwfn.

'Wel... oes,' meddai Tomos. 'Yn y cae draw fan'na.' Pwyntiodd at Ceredin, oedd yn trefnu'r coed tân yn bentwr taclus. 'Ry'ch chi braidd yn gynnar.'

'Ry'n ni'n ddynion tân mor dda, ry'n ni'n cyrraedd cyn y tanio!'

Cerddodd y ddau i ffwrdd tua'r cae, law yn llaw. Edrychodd Tomos ar Angharad a chodi ei ysgwyddau. 'Wnes i'm gwahodd neb,' meddai. Aeth i mewn i'r tŷ lle roedd Dylan wrthi'n brysur yn torri ffrwythau a'u gosod mewn dysgl. Gwisgai gynfas du gyda dwy adain dila o gardfwrdd gwyn wedi'u gludo ar ei gefn.

'Beth wyt ti i fod?' gofynnodd Tomos.

'Yr Angelystor,' meddai Dylan. 'Paid â chwerthin am ben 'y ngwisg i neu mi wna i ddarllan dy enw o'r Llyfr, a fyddi di'n marw o fewn blwyddyn.'

'Mae 'na bobol wedi cyrraedd ar gyfer y parti yn barod,' meddai Tomos. 'Ffrindie i ti?'

'Na, ond dwi wedi rhoi arwydd mawr lawr wrth y *bus-stop* yn y pentra'n dweud 'Parti Calan Gaeaf yn Ffarm Pen-y-bryn – gwisg ffansi a *free booze for all*'.'

'Ti'n jocan! Does gyda ni ddim diodydd, heb sôn am ddiodydd am ddim!'

'Ew cont-dre! Mae gynnon ni lond bath o ddiod, a dwi angen *guinea pigs* i brofi tipyn arno fo.'

'Odi e'n ddiogel? Ti'n cofio be wnath e i'r ystlumod?'

Troellodd Dylan y cymysgedd amryliw. 'Paid poeni achan,' meddai mewn llais ffug ddeheuol, 'mi wna i gymysgu fo efo'r ffrwytha 'ma i wneud pwnsh. Mae'n berffaith saff.'

'Wyt ti wedi trio tipyn ohono?'

'Na, fel y dywedes i – *guinea pigs*.'

Roedd hi'n nosi, ond symudai un cysgod yn gynt na'r lleill ar draws caeau Pen-y-bryn. Lawr y bryn i gyfeiriad y coed yr ysgubai'r amlinell ddu. Nid ystlum mohono – roedd y rheiny'n rhy feddw i hedfan y noson honno – nac unrhyw fath arall o anifail, ond symudai'n gwbl ddistaw fel haen o wlith yn ymestyn hyd wyneb y tir.

Safai dafad unig yn cnoi ar ddarn o borfa, yn myfyrio ar y byd a'i bethau, ar gyrion y goedwig. Nesaodd y cysgod.

Cododd y ddafad ei phen a pheidiodd ei chnoi rhythmig am ennyd. 'Mee?' gofynnodd.

'Tyrd yma,' meddai'r silwét mewn llais awdurdodol, ond ailafaelodd y ddafad yn ei swper. Roedd yn rhy dwp i ochel rhag y llygaid a befriai'n filain yn y gwyll a'r dannedd miniog sgleiniog.

Tu draw i'r bryn, roedd y parti Calan Gaeaf yn mynd

rhagddo'n hwyliog. Roedd rhai o'r byrddau wedi'u llyncu gan y gors wlyb, ac wrth y stondin diodydd roedd y ferch yng ngwisg Prif Swyddog Steele yn dadlau'n ffyrnig â rhywun mewn siwt wen.

'Elvis o Sam Tân oeddet ti i fod, y ffŵl, dim Elvis blydi Presley!'

'Pwy 'ych chi i fod? Bob the Builder?'

'Hmmm... gwastraff amser oedd y mwstas 'ma dwi'n meddwl, Criddlington.'

Ymlwybrodd Tomos yn ddisylw trwy'r miri a rhoi hergwd chwareus i ferch a safai ar ei phen ei hun â golwg ddiflas ar ei hwyneb. Trodd hithau a syllu ar ei wyneb gwelw.

'Bwahaha!'

'Hm! Trawiadol,' meddai Angharad. 'Gad i mi ddyfalu... Ffantom yr Opera?'

'Marwolaeth!' meddai Tomos, gan chwyrlïo'i fantell ddu. 'Dwyt ti ddim wedi gweld *The Seventh Seal?*'

'Dwyt ti'm yn edrych yn debyg iawn i forlo. Fy ngholur i yw hwnna sy ar dy wyneb di?'

'Erm... Mwahaha!' Tynnodd ei glogyn du dros ei ben.

'A ble ma'r cryman?'

'Mi a' i i nôl un Dad. Ma fe wedi bod yn gofyn i fi neud tipyn o waith ar y ffarm.' Sbonciodd y tu ôl i Angharad a chosi ei chluniau. 'A chywain eneidiau!' dywedodd, gan chwerthin yn aflafar.

Crwydrodd Dylan heibio yn ei gynfas gan ddal clipfwrdd soeglyd. 'Ydach chi'ch dau wedi trio'r pynsh eto?' gofynnodd yn obeithiol.

'Na, ond ma Tomos *in costume* rhag ofn bod rhywun yn mentro,' meddai Angharad. Edrychodd o'i hamgylch. 'Ble'r aeth Ceredin rŵan? Oes 'na rywun yn cadw golwg arno?'

'Fo sy'n perfformio nesa,' meddai Dylan, gan bwyntio at lwyfan syml oedd wedi'i greu o estyll ar ben byrnau o wair. Eisteddai Ceredin yno'n cyweirio'i delyn, a edrychai fel bwa saeth hir ac ynddo res o dannau.

'Beth ydych chi am i mi ei chwarae?' gofynnodd iddyn nhw.

''Sbeidiau Heulog!' meddai rhywun. 'Brawd Houdini!' gwaeddodd rhywun arall.

'Nid ydwyf yn gyfarwydd â cherddoriaeth y cantref hwn,' meddai Ceredin. 'Dyma gân a gyfansoddais ar gyfer fy nghariad, Niahm. Ni chafodd gyfle i'w chlywed, yn anffodus.'

Dechreuodd ganu'r delyn. Llithrai ei fysedd o un tant i'r llall mor ysgafn a chyflym â gwas y neidr yn hedfan dros ddŵr, heb brin eu cyffwrdd. Llifai'r gerddoriaeth yn donnau cynnes dros y cae.

'Ma fe'n chware mor swynol,' meddai Angharad. 'Pam na alliff Tomos chwarae unrhyw offerynne fel'na?'

'Does ganddo ddim teulu i wybod pa ddoniau sy'n rhedeg ynddo,' atebodd Dylan.

Gwelodd Angharad ddynes welw wallt du yn sefyll yn ei hymyl. 'Mae'n dda, on'd yw e?' dywedodd.

'Ydy,' meddai'r llall. 'Ond mae'r gerddoriaeth yn gyfarwydd i mi...'

'Dwi'm yn credu ein bod ni'n nabod ein gilydd?'

'Ceri,' meddai hi, dan wenu.

Gallai Dafydd synhwyro fod rhywbeth o'i le. Roedd y defaid yn swnllyd heno. Fel meddyg yn mesur curiad y galon, gallai rifo'u nadau i'r funud.

Cerddai drwy'r cae gyda'i lusern, yn ceisio dod o hyd i'r defaid. Roedd wedi symud y ddiadell ymhell o'r parti cyn iddi dywyllu, ond nawr doedd dim golwg ohonyn nhw yn unman.

'Gobeithio nad yw un o'r stiwdents ddiawl 'na 'di gadael iet ar agor!' meddai, gan geisio osgoi dychmygu ei holl ddefaid annwyl yn powlio i lawr y clogwyni i'r môr.

Aeth yn ôl dros y bryn i gyfeiriad y parti, a gweld amlinell dywyll yn lledorwedd ar y gwair yn y tywyllwch o'i flaen. Cerddodd tuag ati.

Llamodd golau yn y pellter yn arwydd bod coelcerth y parti wedi'i chynnau. 'Beth ar y ddaear?' gofynnodd Dafydd. Yn llewyrch y tân, gallai weld bod y ddafad yn ceisio codi ar ei thraed ond yn ofer, a syrthiodd yn ôl yn llesg am fod ei choesau cefn yn ddiffrwyth. 'Beth maen nhw wedi'i wneud i ti?' Gafaelodd yn y ddafad a gweld bod ei gwlân yn ludiog gan waed. Trodd ar ei sawdl a sylwi fod y defaid eraill hefyd yn nadu'n druenus o'i amgylch, a phob un ohonynt yn swp ar lawr. 'Melltith ar fy esgeulustod!' meddai.

Disgynnodd ar ei liniau, a'i wyneb yn ei ddwylo. Yna clywodd lais y tu ôl iddo – llais cyfarwydd, ond un oer ac estron.

'Dafydd.' Trodd yr hen ffarmwr. Yno, yn sefyll yn erbyn cochni'r goelcerth, roedd ffigwr mewn cwcwll du. Marwolaeth. Roedd ganddo gryman yn ei law, ac roedd ei law arall wedi'i hestyn yn fygythiol tuag ato. 'Dafydd!' meddai, megis gorchymyn.

'Ymaith! Nid dyma f'amser... Fe yfais i o grochan yr is-fyd... chân nhw mohono i'n ôl...' Ymbalfalodd Dafydd yn yr awyr, baglu, gafael yn ei frest a llewygu ar y llawr.

Tynnodd Tomos y cwcwll oddi ar ei wyneb ac edrych i lawr arno. 'Wps.'

Gorffennodd Ceredin ei gân a derbyn cymeradwyaeth y gynulleidfa.

'Diolch yn fawr!'

'Mwy!' bloeddiodd rhywun.

'Mae canu'r delyn yn waith sychedig,' meddai, gan glymu'i delyn ar ei gefn a chamu oddi ar y llwyfan. 'Dwi'n mynd i gael dracht.'

'Roeddwn i'n meddwl bod y gerddoriaeth yna'n gyfarwydd,' meddai llais merch yn ei glust.

'Fi gyfansoddodd y cwbl,' atebodd yn esmwyth gan droi i'w hwynebu. Gwenodd ar y ferch welw, brydferth a safai yno â golau'r tân yn chwarae yn ei gwallt du. 'Gad i mi nôl diod i ti.'

'Dwi'n hoffi gŵr bonheddig,' meddai hi. Estynnodd ei llaw tuag ato ond trodd honno'n grafanc hir a lapio fel gwinwydden o amgylch ei wddf. Gwthiodd ef yn erbyn y byrnau gwair.

'Pwy… beth wyt ti?' gofynnodd Ceredin.

'Bod o'r byd tu hwnt i hwn, fel tithau, fardd,' atebodd y ferch, â'i llais yn siffrwd fel gwynt trwy ddail. 'Dangos i mi ble mae'r porthwll yn ôl i'r Fabinogwlad ac mi wna i arbed dy fywyd…'

'Ddyweda i ddim gair wrthyt ti, wrach!'

'Mi wna i rwygo dy galon allan drwy dy geg.' Llyfodd ei gwefus.

'Twll dy din di!'

'Neu allan o dy din, pa un bynnag sydd orau gen ti.'

Plygodd Ceredin ei ben. 'Yn y tŷ,' meddai. 'Yn y lle tân.'

Gwthiodd y ferch brydferth ef ar hyd y cae tuag at yr Hen Ffermdy, a'i gafael yn tynhau bob tro y ceisiai strancio. Aethon nhw i mewn i'r tŷ a thrwy'r cyntedd i'r ystafell fyw.

'Dyma fo?' gofynnodd hi. Anelodd ei llaw tuag at y lle tân. 'Agor,' gorchmynnodd.

Newidiodd wyneb y lle tân, a lle gynt doedd ond wal gerrig

ymrithiodd llannerch mewn coedwig o'u blaen.

'A! Drws Dychymyg heb ei guddio mor gyfrwys â hynny wedi'r cwbl. Braidd yn siomedig.' Gorchmynnodd hi i'r porthwll gau. 'Mi af i ddweud wrth y meistr. Paid â gadael i'r bodau dynol ymyrryd, fardd. Os gwnei di ufuddhau, efallai y gallwn ni wneud cymwynas â thi yn y Fabinogwlad. Dwi'n deall fod yna frenin yr wyt ti am gael gwared arno ef, Ceredin fab Caradog.'

'Sut gwyddoch chi hynny?'

'Mi wnaeth deryn bach ddweud wrtha i.'

Chwarddodd a llacio'r bysedd a fu mor dynn am ei wddf.

Agorodd Dafydd ei lygaid. Ni allai weld ond golau gwyn llachar. Yna'n raddol gwelai ddau wyneb yn hofran drosto fel lleuadau.

'Wel, mae'n fyw,' meddai un o'r wynebau aneglur.

'Tomos... ti sy 'na?' gofynnodd Dafydd. 'Beth – beth ddigwyddodd i mi?'

'Mi gesoch chi dipyn bach o sioc, Mr Wyn,' meddai'r amlinell arall. Y fenyw.

'Fe... fe weles i Farwolaeth. Ro'n i'n meddwl bod 'yn amser i ar ben, a bod rhyw gwcw flewog o bwy ŵyr ble am gymryd y ffarm.'

'Tomos yn 'i wisg Calan Gaeaf oedd Marwolaeth,' meddai Angharad.

'Ie, ro'n i'n nabod y cryman.' Cododd ar ei eistedd yn araf gan rwbio'i ben. 'Ro'n i'n meddwl bod Marwolaeth yn ceisio cellwair. Ble rydw i... yn yr ysbyty?'

'Yn lle'r fet,' atebodd Tomos.

Wrth ei ymyl, yn nadu'n druenus, roedd un o'r defaid. Agorodd drws yr ystafell a daeth y fet i mewn, yn tynnu pâr o fenig rwber.

'Mae'r canlyniadau yn ôl,' meddai.

'Wneiff y defaid fyw?'

Ysgydwodd y fet ei ben. 'Sai'n deall sut y gall defaid ddioddef y fath anafiadau yng nghefn gwlad Cymru,' meddai gan lynu sgan pelydr-x i'r wal. 'Mae'r clwyfau'n rhy fawr i fod yn gadno neu'n gi.'

Edrychon nhw arno'n syn.

'Fe wn i pwy sy'n gyfrifol am hyn!' meddai Dafydd, wrth godi ar ei draed. 'Y blydi cwcw flewog 'na – Cern! Rodd e am gael gwared ar 'yn nefaid i fel 'mod i'n gwerthu'r ffarm, yr hen ddiawl ag e!'

'Ddylen ni alw'r heddlu?' gofynnodd Angharad.

'Na. Rhaid delio â hyn yn y ffordd draddodiadol. Nid fi yw'r cynta yn 'yn teulu ni i gael rhyw labwst cyfoethog yn piso yn ei boced! Ble'r aeth 'y nghryman i?'

'Yn y stafell aros,' meddai Tomos.

'Rwy'n mynd i gael gair gyda'r Cern 'na.' Brasgamodd Dafydd allan o'r ystafell yn benderfynol.

Wrth i Tomos ac Angharad ddod i mewn drwy ddrws yr Hen Ffermdy, clywson nhw sŵn curo a gweiddi yn dod o'r ystafell molchi lawr llawr.

'Beth sy nawr 'to?' gofynnodd Tomos, a throi'r clo yn y drws.

Disgynnodd Ceredin allan o'r ystafell. 'Diolch byth! Roedd y mygdarth bron â'm gorlethu,' meddai gan besychu.

'Pwy wnath dy gloi di i mewn 'na?' gofynnodd Angharad.

'Mae 'na greadur yma, ym mhentref Pen-y-graig. Gwrach, o'r Fabinogwlad. Wedi dod trwy'r un porthwll â fi, fwy na thebyg!'

Edrychodd Angharad a Tomos arno'n syn.

'Faint o'r cymysgedd 'na yfest ti?' gofynnodd Tomos. ''Yn

ni wedi gweld digon o salwch am un noson.'

'Wyt ti'n sôn am y ferch 'na oedd yn fflyrtio gyda ti ar y llwyfan gynne?' gofynnodd Angharad. 'Hi sydd gyda'r dyn sy'n treial prynu'r ffarm oddi wrth Mr Wyn.'

'Cern rhywbeth,' meddai Tomos.

Chwyddodd llygaid Ceredin yn fawr. 'Cern? Nid Cern mohono, ond Cyrn-y-nos! Y Castiwr!'

Goleuodd llygaid Angharad. 'Castiwr? Be, i raglen deledu, ife?'

'Nage, y Castiwr, duw natur ac anhrefn. A hi yw'r dduwies Ceridwen. Mi gafodd y ddau eu taflu allan o'r Fabinogwlad gan ddewin pwerus ddegawdau'n ôl fel cosb am eu castiau. Heb hud a lledrith mae o'n wan, ond mor agos â hyn i'r porthwll bydd ychydig o'i rym yn dychwelyd.'

Rhythodd Tomos ar Ceredin.

'Ocê, a' i i alw'r heddlu,' meddai Tomos. 'Ti'n fachan neis, Ceredin, ond dwi ddim yn gwbod o ba ysbyty'r meddwl wyt ti wedi dianc.'

'Gwrandewch,' meddai Ceredin yn daer gan gydio ym mraich Tomos. 'Os ân nhw'n ôl drwy'r porthwll mi fydd eu pŵer cyflawn yn dychwelyd. Mi fydd daeargrynfeydd, llosgfynyddoedd, tonnau anferth, a diwedd ar wareiddiad. Bydd y winwydden yn llusgo'r maen a'i chwalu ar lawr.'

'Ble mae'r porthwll 'ma 'ta?' gofynnodd Tomos yn ddiamynedd. 'Yn y cwpwrdd dillad? Lawr y ffynnon? Yn y ffrij?'

'Yn y lle tân,' meddai Ceredin, gan daflu cip dros ei ysgwydd drwy ddrws y stafell fyw. 'Dim ond ar rai adegau hudol o'r flwyddyn, fel canol haf a Chalan Gaeaf, pan fydd cylchdroeon hynafol natur yn eu hanterth, y mae'n datgelu ei hun. Wn i ddim sut mae gorchymyn iddo agor, ond...'

Gwthiodd Tomos ef o'r neilltu a chamu i'r ystafell fyw.

Roedd y lle tân yn edrych yn solet, a'i gefn yn gerrig trymion. 'Mae'n edrych fel lle tân arferol i fi.'

'Mae angen rhyw fath o air hud i'w agor…'

'Ie, siŵr iawn. Fel Superted.' Ochneidiodd Tomos a throi'n ôl am y drws. Ond roedd eginyn o amheuaeth yn ei feddwl o hyd, ac arhosodd. Wrth wneud hynny gwelodd, drwy gil ei lygad, ryw gryndod aneglur yng nghefn y lle tân. Trodd yn ôl ond y cwbl a welai oedd y wal gerrig.

'Aros funud…' meddai Tomos. Trodd ei ben naill ochr eto ac, yn wir, yno'n tywynnu ar ymylon ei olygon yn rhywle, roedd rhyw wyrddni aneglur… edrychai fel llannerch wedi'i hamgylchynu gan gerrig tal. 'Rwy'n meddwl y galla i 'i weld e,' meddai'n betrusgar, 'pan na fydda i'n edrych yn syth ato fe.'

'Drws Dychymyg ydyw,' meddai Ceredin. 'Mae angen credu yn y porthwll i'w weld.'

'Dwi'n gweld dim byd,' meddai Angharad.

'Ceredin,' meddai Tomos.

'Ie?'

'Wythnosau'n ôl fe weles i rai pethe… rhyfeddol. Dyn yn codi o fod yn farw, enaid yn trawsnewid o un corff i'r llall, a menyw yn byw mewn llyn a chanddi gleddyf…'

'Ydyn, mae seireniaid y dyfroedd yn hoff o gasglu pethau sgleiniog sy'n suddo i'w gwaelodion. Maen nhw fel piod.'

Llyncodd Tomos ei boer.

'Gad i mi weld, felly… mae'r Cern yma'n dduw natur eithaf pwerus, yn dy dyb di…'

'Ydy.'

'Ac mae 'Nhad i newydd fynd i chwilio amdano i bigo ffeit.'

Rhedodd Tomos nerth ei draed i lawr y bryn tua'r pentref. Safai'r Stag yno fel goleudy ynghanol y tywyllwch. Dylai fod wedi dod â fflach lamp.

Cyrhaeddodd waelod y bryn a stryffaglio dros hen wal i fynwent yr eglwys. Baglodd ei ffordd rhwng y cerrig beddau a brigau'r hen ywen gan geisio osgoi rhwygo'i ddillad.

Trawodd ei ben yn erbyn rhywbeth yn y tywyllwch. 'Aw!' meddai.

Ysgydwodd gwynt y môr y goeden ac am ennyd roedd yn siŵr iddo glywed llais yn llafarganu'n dawel gerllaw.

... Dafydd Emrys Wyn... meddai'r llais... *Tomos ap Cadell...*

'Pwy sy 'na?' gofynnodd Tomos gan edrych yn wyllt o'i gwmpas. Ond roedd y nos mor ddu â chlogyn trefnwr angladdau.

Symudodd yn ei flaen yn ofalus a dringo dros y wal yr ochr arall i'r fynwent. Clywai leisiau blin ac ymhellach i lawr y stryd, yng ngolau ffenestri'r dafarn, gallai weld ei dad yn siarad gyda rhywun.

'Aros di mas o hyn, y fenyw binc,' meddai llais ei dad. 'Mae hyn rhwng y dynion.'

'Os wyt ti'n dymuno hynny,' meddai llais arall, llais llyfn menyw.

Yna bu bron i Tomos ddisgyn yn ôl dros wal y fynwent wrth i lais fel corwynt ddod o'r dafarn.

'Ffermwr ffôl, does gen i ddim awydd prynu dy fferm druenus mwyach,' meddai'r llais. 'Rydw i eisoes yn gwybod ble mae'r porthwll wedi'i guddio.'

'Be?' Synhwyrai Tomos fod syndod a pheth ofn yn ymateb Dafydd.

Yna gwelodd ddyn, a wisgai glogyn garw, yn camu allan drwy ddrws ffrynt y dafarn. Cododd y cwfl a datgelu ei wyneb melynfrown, oedd wedi'i ystumio'n wên filain.

'Rydw i'n cofio'r dydd pan oedd y bryniau hyn yn goedwigoedd toreithiog a ffrwythlon cyn i ti a dy hynafiaid eu creithio â'ch peiriannau,' meddai. 'Cyn i'r estroniaid ddod â'u bwyelli a thafellu'r coed yn ddarnau fel y gallent ysgrythu eu celwyddau arnynt – cyfrolau i ddarbwyllo dilynwyr yr hen gredoau nad yw eu duwiau yn ddim namyn diefyl a thwyllwyr!'

Newidiodd ei lais a wnaeth iddo swnio fel anifail yn chwyrnu. 'Ond ydy'r hen chwedlau'n angof bellach ymysg dynion?' gofynnodd. 'Wyddost ti ddim pwy ydw i, ffermwr ffôl? Fi yw Cyrn-y-nos, Arglwydd tryblith! Meistr yr elfennau oll!'

Gwthiodd y cwcwll yn ôl a gwelodd Tomos fonion cyrn ar ei dalcen, a eginodd a thyfu'n gyrn carw.

Gollyngodd Cern ei wisg yn gyfan gwbl gan ddangos coesau blewog a charnau trwm yn dyrnu'r llawr. Oddi tanynt holltai'r tarmac a thyfai chwyn rhwng y craciau.

Ni symudodd Dafydd am ennyd, fel pe bai wedi fferru.

'Rhed, Dad!' meddai Tomos dan ei wynt.

Ond yna gwelodd, er syndod iddo, fod ei dad yn gwenu yn y golau isel.

'Cyrn-y-nos, ife?' gofynnodd, yn ddifraw. 'Y tro diwetha i ni ymladd, os dwi'n cofio, llosgwyd cantref cyfan yn ulw. Nawr gan na allwn ddefnyddio hud a lledrith, bydd yn rhaid defnyddio'r hen arfau. Ho!' Cododd ei gryman.

Safodd Cern yn stond fel pe bai wedi cael braw.

'Dafydd? Dafydd y Dewin?' gofynnodd yn gegrwth.

'Cywir! Mae'n rhyfeddol faint y gall eillio barf drawsnewid golwg dyn. Ond ro'n i'n 'ych nabod chi'ch dau y funud y gweles i chi. Ers blynyddoedd maith rwy wedi gwylio'r porthwll, Cern, rhag i ti ddychwelyd.'

Ysgyrnygodd Cyrn-y-nos a llewyrchai patrymau crynion fel glaslys ar hyd ei groen noeth. 'Aeth dy waith di'n ofer, 'rhen ddyn!'

Cododd ei ffon a'i hyrddio tuag at Dafydd, a lwyddodd i'w bwrw o'r neilltu gyda'i gryman. Llamodd Cyrn-y-nos drosto fel march gan ailafael yn ei ffon.

Gwyliodd Tomos yn gegagored wrth i'w harfau daro yn erbyn ei gilydd dro ar ôl tro.

'Mae hyn yn anobeithiol, Dafydd,' meddai Cyrn-y-nos wedyn, wrth i ager ei anadl droelli yn yr awyr oer. 'Dyn meidrol yng nghyfnos ei ddyddiau wyt ti, a finnau'n rym anfeidrol. Heb dy hud a'th ledrith rwyt ti'n gwbl ddiamddiffyn.'

'Bydda i'n gelain cyn i ti lwyddo i ddianc eto, Cern.'

'Dad! Paid!' bloeddiodd Tomos, a rhedeg tuag atynt.

'Dos yn ôl i'r ffarm, Tomos,' gorchmynnodd Dafydd, heb edrych arno.

Cododd Cyrn-y-nos ei ben corniog i rythu ar Tomos. Gwenodd a'i dafod tew yn llyfu ei weflau fel neidr. 'Felly, dyma beth rwyt ti wedi bod yn ei feithrin dros y blynyddoedd, Dafydd. Y llipryn hwn yw dy olynydd? Wel, bydd yn rhaid i ti ddewis, 'rhen ddyn, rhyngot ti dy hun ac yntau!'

Cododd Cyrn-y-nos ei ffon a'i hanelu tuag at Tomos. Crynodd y pen a daeth gwreichion ohoni fel petai ar fin llosgi'n wenfflam.

Heb air pellach hyrddiodd Dafydd ei hun drwy'r awyr gan chwifio ei gryman o amgylch ei ben. Holltodd drwy fonyn y ffon a'i thorri'n ddau ddarn ar y llawr. Ond taflwyd Dafydd yn ei ôl gan nerth aruthrol a glaniodd yn swp ar y palmant caled.

Brasgamodd Cyrn-y-nos o'i amgylch gan chwerthin yn orffwyll. 'Dyna ladd dau dderyn gydag un garreg. Diwedd ar Dafydd y Dewin, a diwedd ar brentisiaeth ei olynydd. Tyrd,

Ceridwen, i'r porthwll!'

Neidiodd Ceridwen yn ysgafn ar ei ysgwyddau llydan ac fe garlamodd yntau i fyny'r bryn tuag at yr Hen Ffermdy.

Rhedodd Tomos at gorff ei dad a chodi ei ben i'w gôl.

'Ti'n iawn?' gofynnodd. Hyd y gwelai doedd dim anaf mawr amlwg ar gorff ei dad. 'Wyt ti am i mi ffonio am ambiwlans?'

'Do's 'da fi ddim anaf y gall meddyg ei drin,' meddai Dafydd, yn gwingo wrth siarad. 'Mae fy ngwir oed ar fin dal lan â fi.'

Wrth i Tomos afael ynddo gwelwodd ei dad a chrebachodd ei groen fel afal yn crino nes iddo newid i edrych yn hen iawn, iawn.

'Dad, beth sy'n digwydd i ti?'

'Mae'n rhaid i ti addo i mi, Tomos, y gwnei di gymryd y cyfrifoldeb fuodd ar fy hen gefen i gyhyd...'

'Wrth gwrs y gwna i.'

'Mae 'na ambell beth nad ydw i wedi'i ddweud wrthot ti,' meddai Dafydd. 'Ro'n i'n meddwl bod gen i fwy o amser. Dim ffarmwr bach cyffredin yn unig ydw i... fi oedd ceidwad y porthwll i fyd arall... nid baich y ffarm yn unig o'n i am i ti ei gymryd, Tomos, ond y baich hwnnw....'

'Ond wyddwn i ddim byd am fyd arall...'

'Mae gen ti wreiddiau yno, Tomos. Cymer y cryman 'ma. Dyw e'n ddim byd ond teclyn yn y byd hwn, ond mae'n llawer mwy yn y byd y tu hwnt. Bydd pobol yn dilyn y cryman.'

Cododd y cryman o'r llawr a'i osod yn llaw Tomos.

'Mi af i 'nôl i'r tir yn awr,' dywedodd. 'Y tir sydd yn fy ngwaed.'

Ysgydwodd Tomos ei dad. Ond roedd llygaid yr hen ddyn yn bŵl, a'i ên yn llipa. Roedd wedi marw.

OGAM

ARCHDDERWYDD CAERBONTLLAN

Gorweddai'r corff ar waelod y twll, fel cachiad. Dyna ydy corff marw yn ei hanfod, onid e? Ysgarthiad y ddynoliaeth, wedi'i gladdu'n ddwfn i guddio'r drewdod. Mae yna rywbeth amrwd iawn mewn angladd, wedi i'r holl seremoni gael ei diosg.

Ond roedd y seremoni'n gwneud pethau'n haws. Doedd Tomos ddim yn Gristion, fe wyddai hynny. Doedd e ddim yn credu mewn Duw nac mewn Iesu a stwff fel'na. A fyddai ei dad ddim wedi trafferthu gyda seremoni. Dim tra bod defaid i'w dipio a chaeau i'w haredig.

Ond pa fath arall o angladd sydd ar gael, heblaw un Gristnogol? Ble roedd dŵr bath crefydd yn gorffen a babi traddodiad gwledig ei dad yn dechrau?

Felly fe benderfynodd gladdu Dafydd yn y fynwent, a gwahodd gweinidog, nad oedd yn ei adnabod, i siarad am nefoedd nad oedd yn credu ynddi.

Ac roedd hi i fod i fwrw glaw mewn angladdau, roedd Tomos yn siŵr o hynny. Gwelsai hynny mewn digon o ffilmiau a'i ddarllen mewn digon o lyfrau. Roedd yr awyr i fod yn ddrych i'w galar, gan biso crio fel nad oedden nhw'n gorfod gwneud.

Ond, i'r gwrthwyneb, roedd hi'n annhymorol o gynnes o feddwl ei bod yn ddechrau Tachwedd, a'r traeth wedi'i feddiannu gan dwristiaid mewn trowsusau byrion yn eistedd ar gadeiriau haul, a'u plant yn sgrialu yma ac acw gyda bwcedi a rhawiau.

'Byddai'n haws pe bai gan Dad ffrindie,' meddai Tomos. 'Fe fydden nhw'n arbenigwyr ar angladde.'

'Falla fod ganddo ffrindia, ond eu bod nhw'n *ormod* o arbenigwyr,' meddai Dylan.

Safai'r pedwar ohonyn nhw, a'r gweinidog, o amgylch y bedd agored, heb fod yn siŵr beth i'w ddweud nac am faint i aros. Cerddai pobl heibio i wal y fynwent yn syllu'n chwilfrydig arnyn nhw wrth lyfu hufen iâ – yn enwedig ar Ceredin yn sefyll yno'n anesmwyth yn un o hen siwtiau Dafydd.

'Ydyn ni i fod i neud rhywbeth arall?' gofynnodd Tomos i'r gweinidog.

'Fe alla i ganu'r delyn,' meddai Ceredin. 'Yn fy ngwlad i rydym ni'n cael dathliad mawr i gofio'r meirw, gyda diod, a cherddoriaeth.'

'Diod?' meddai Dylan, gyda chryn ddiddordeb.

Eisteddodd Ceredin ar un o hen gerrig beddau'r morwyr, a honno wedi treulio'n llyfn gan yr awel hallt, a dechrau canu ei delyn fwa.

Roedd yr alaw yn drist a hiraethus, ond yn swynol ac yn dwyn i gof Tomos y dyn byw yn hytrach na'r corff marw. Roedd y nodau'n awgrymu brawdoliaeth, a nosweithiau cyfeillgar wrth y tân yn rhannu straeon. Cynhesodd ei galon. Ymgasglodd rhai o'r twristiaid i glustfeinio wrth y giât.

Erbyn i'r gerddoriaeth ddod i ben, teimlai Tomos fel pe bai popeth roedd angen ei ddweud wedi'i ddweud, yn well nag y gallai unrhyw bregethwr ei wneud.

'Mae diod yn swnio'n syniad da i fi,' meddai Tomos. 'Mae'n ddiwrnod braf. Awn ni i'r dafarn.'

'Roedd eich tad wedi cadw cofnodion manwl iawn o'i ddymuniadau pe bai'n marw,' meddai'r cyfreithiwr, gan agor ei friffces a gwagio pentwr o bapurau ar fwrdd y gegin. Gosododd ei sbectol ar ei drwyn a chydio yn un ohonynt. 'Yn ystod ei fywyd fe dderbyniodd fy nhad-cu, fy nhad, a minnau, ddim llai na thri deg chwech o newidiadau ganddo i'w ewyllys.'

Pesychodd, a dechrau darllen.

'Dyma fy ewyllys i, Dafydd Emrys Wyn,' meddai. 'Wedi ei newid am y tro olaf ar Hydref yr ugeinfed, 20--. I Domos Ap, fy mab mabwysiedig, rydw i'n gadael fy ffarm a'i holl diroedd, fy arian, a'm defaid, gyda chyfarwyddiadau penodol i'w gwarchod yn ffyddlon. 'Drycha di ar ôl y defaid 'na neu bydda i'n dod yn ôl o'r bedd i roi crasfa i ti, marw neu beidio.'

Gwenodd Tomos er ei waethaf.

'I'r fenyw Angharad rydw i'n gadael y drych maint llawn sydd yn fy ystafell wely. I'r bachgen arall 'na rydw i'n gadael jar hanner gwag o gyflaith menyn sydd yn y ddesg gyferbyn.'

'Chwarae teg iddo,' meddai Angharad.

'Ond mae un amod i hyn oll,' darllenodd y cyfreithiwr yn ei flaen. 'Nad oes *neb*, gan gynnwys Tomos a'i ffrindiau didoreth o'r coleg, i agor yr hen gist dderw sy yn y twll dan y grisiau ym Mhen-y-bryn. Os yw'r gist hon yn cael ei hagor bydd y rhoddion uchod yn cael eu diddymu a bydd fy holl eiddo, gan gynnwys yr Hen Ffermdy, a thŷ ffarm Pen-y-bryn, fy arian, y drych, a'r cyflaith, yn cael eu trosglwyddo'n syth i ddwylo'r cyfreithiwr. Arwyddwyd: DE Wyn.'

Nodiodd Tomos ei ben. 'Wel, digon... digon teg. Doeddwn i erioed wedi sylwi ar yr hen gist 'na beth bynnag. Pam byddwn i'n moyn 'i hagor?'

'Faint o arian mae e wedi'i adael?' gofynnodd Angharad.

Cododd y cyfreithiwr dudalen arall o'r pentwr.

'Can mil o bunnoedd.'

Bu bron i Tomos lithro o dan y bwrdd, a goleuodd llygaid Angharad.

'Sut alle fe fod mor gyfoethog?' gofynnodd Tomos wrth godi'n ôl ar ei eistedd. 'Roedd yn gas 'da fe ddodi'r golau trydan ymlaen!'

'Dyna pam, mae'n rhaid,' atebodd y cyfreithiwr.

'Pam nad yw'r defaid yn cau eu blincin cege?' gofynnodd Angharad wrth osod ei phen ar y gobennydd. 'Maen nhw'n waeth na chwyrnu Dylan. Wyt ti wedi'u bwydo nhw?'

'Does dim angen bwydo defaid. Maen nhw'n bwyta porfa,' meddai Tomos.

Parhaodd brefu truenus y defaid i atseinio'n gôr ar hyd y bryniau moel.

'Ddylwn i deimlo'n euog am nad ydw i mor drist â hynny?' gofynnodd Tomos wrth orwedd yn y gwely ac estyn yr albwm teuluol oddi ar y bwrdd ochr. 'Ro'n i'n teimlo rhyw fwlch rhyngof i a fe eriôd, ond rwy'n teimlo nawr nad o'n i'n nabod y dyn o gwbl. Ti'n gweld hwn?' meddai, gan bwyntio at lun ei dad yn yr albwm teuluol. 'Dyma'r unig beth sy 'da fi ar ôl ohono nawr.'

Edrychodd drwy albwm teuluol ei dad. Roedd pob un o'i gyndadau yn edrych yn union yr un fath heblaw am ddillad y cyfnod a maint a siâp y locsyn ar eu hwynebau.

'Mae 'na gymaint ro'n i'n moyn gwbod,' meddai'n drist.

'Beth ry'n ni'n mynd i'w neud nawr, Tomos?' gofynnodd Angharad, gan roi ei phen ar ei ysgwydd. 'Dwyt ti ddim wir yn mynd i redeg y ffarm 'ma, nag wyt? Dwyt ti'm yn gwbod dim yw dim am edrych ar ôl defaid. Ac rwy'n siŵr bod y lle'n werth tipyn erbyn hyn.'

Caeodd Tomos yr albwm. 'Fydde gwerthu ddim yn dangos lot o barch tuag at ddymuniade 'Nhad, fydde fe?'

'Mae e 'di marw, fydd e ddim callach,' oedd ymateb Angharad wrth estyn am lyfr nodiadau a beiro oddi ar bwrdd bach wrth ochr y gwely. 'Bydden ni'n medru fforddio tŷ rili neis ym Mhontcanna petaen ni'n gwerthu'r lle 'ma...'

'Ond glywest ti'r ewyllys: "Drycha di ar ôl y lle neu bydda i'n dod yn ôl o'r bedd i roi crasfa i ti, marw neu beidio",' meddai gan ddynwared llais ei dad.

'Tomos, rwy'n meddwl ei bod hi'n hen bryd i ti roi rhywbeth yn ôl i mewn i'n perthynas ni. Wnes i aberthu tipyn yn dy ddilyn di i'r twll hyn. Rwy wedi diodde'r holl *crap* gan fy ffrindie yng Nghaerdydd. Y jôcs 'mod i'n mynd mas 'da ffarmwr. A nhwthe'n dweud dy fod ti'n drewi o ddom da tu ôl i dy gefn di.'

'Y...?'

'Ond nawr ma 'da ti dipyn o bres yn dy boced rwy am gashio fy *chips*. Mae'n bryd i ni symud yn ôl i wareiddiad. Does 'na ddim byd ar ôl i ni fan hyn – dwyt ti ddim yn moyn bod yn ffarmwr, ac yn sicr dwi ddim yn moyn bod yn wraig ffarm.'

Syllai Tomos ar y nenfwd a meddwl. 'Dwi ddim yn gwbod, rwy i wedi dechre joio byw 'ma. Do'n i ddim eisiau dod 'nôl o gwbl, ond byddwn i'n teimlo hiraeth am y lle 'ma petawn i'n 'i werthu fe.'

'Paid â malu, roeddet ti'n cwyno byth a hefyd yn y coleg faint roeddet ti'n casáu'r lle. Wnest ti'm ymweld â'r lle am bedair blynedd. Nawr, faint ti'n meddwl yw gwerth y defaid? Yr un? Faint ti'n meddwl sy 'na?'

'Dwi ddim yn gwbod.' Cododd Tomos ar ei eistedd. 'Ond be am Dylan?'

Rhwygodd hi dudalen o'r llyfr. 'Mae e wedi glynu wrthon

ni fel cachu ar fatras am ddigon. Gaiff e fynd ar y dôl fel gweddill y Cofis.'

Wnaeth Tomos ddim ond codi ei ysgwyddau.

'A be ti'n meddwl sy yn y gist 'na?' gofynnodd Angharad gan dapio'r beiro yn erbyn ei thrwyn. 'Allwn ni ddim 'i gadael hi 'ma.'

'Dim diddordeb gyda fi,' meddai Tomos. 'Na chwennych yr afal o goeden yr addewid, neu beth bynnag roedd y pregethwr 'na yn 'i ddweud yn yr angladd.'

Caeodd yr albwm a'i osod yn ôl ar y bwrdd ochr. Diffoddodd y golau bach a rhoi ei ben ar y gobennydd. Cadwodd ei lygaid ar agor, ac o fewn ychydig funudau clywodd Angharad yn chwyrnu'n isel. Llithrodd yn ddistaw o'r gwely, gwisgo'i sliperi a mynd ar flaenau ei draed i lawr y grisiau.

Cerddodd yn ofalus heibio i Ceredin, a orweddai ar y soffa yn anymwybodol gyda'i delyn fwa wrth ei ochr a chwarter potelaid o win gwyn yn ei law. Cododd Tomos y bocs matsys o'r lle tân, sleifio i'r cyntedd a chynnau hen lusern ei dad a oedd wrth y drws ffrynt. Newidiodd ei sliperi am bâr o esgidiau glaw.

Camodd allan i'r noson laith, ddi-sêr, ac ymlwybro i fyny tuag at dŷ ffarm Pen-y-bryn, ei lusern yn bwrw'i golau gwan ar y siapiau unlliw ar y clos. Roedd hi'n ddu fel simnai, a doedd dim sŵn ac eithrio brefu dolefus y defaid a swatiai o dan y gwrych, fel pe baent yn hiraethu am eu hen feistr.

Gosododd Tomos ei law ar ddolen drws y ffermdy a'i throi'n ofalus. Agorodd gyda chlic esmwyth. Cododd y llusern o'i flaen a cherdded i mewn i'r cyntedd, gan ofalu peidio â tharo'r bwrdd bach a'r ffôn arno.

Teimlai'r tŷ yn enbyd o wag er nad oedd dim byd wedi'i symud. Aeth ias i lawr ei gefn a bu'n ystyried troi'r golau ymlaen, ond gwyddai fod posibilrwydd y byddai rhywun yn y tŷ arall yn dihuno a'i weld.

Caeodd y drws ffrynt y tu ôl iddo. Cododd y glicied ar y twll dan grisiau ac agor y drws llychlyd yn araf ofalus. Gwichiodd hwnnw'n flin.

Yno roedd y gist, un dderw, dywyll, a edrychai fel rhywbeth o oes y môr-ladron.

Efallai mai un o'r dynion gyda'r barf egsotig yn yr albwm teuluol fu'n berchen arni. Cododd Tomos y caead gan ddal y llusern uwch ei ben i gael gwell golwg. Y tu mewn i'r gist, yn gorffwys ar glustog o sidan coch, roedd amlen wedi'i chyfeirio ato. Cododd Tomos hi a'i hagor yn ofalus, ei galon yn curo fel drwm, a darllen y llythyr yn y golau gwan.

Tomos, y diawl bach.

Ha! Roeddwn i'n gwybod mai'r unig ffordd o wneud yn hollol siŵr dy fod ti'n darllen y cyfarwyddiadau yma oedd dweud wrthyt ti am beidio. Os wyt ti'n darllen hwn, rydw i wedi marw, ac wedi marw drwy law'r duw Cyrn-y-nos, yr unig greadur yn y byd hwn a allai fod wedi fy lladd.

Tomos Ap, does gennyt ti ddim amser i din-droi mwyach fel y gwnaethost ti yn ystod y 22 blynedd diwethaf 'ma. Mae'n bryd gweithredu. Yn lle tân yr Hen Ffermdy mae yna borthwll i fyd arall – y Fabinogwlad. Mae'n rhaid i ti fynd yno, i ddinas Caerbontllan, a rhybuddio Urdd y Derwyddon bod Cyrn-y-nos wedi dychwelyd.

Dwi'n gwybod mai o'r Fabinogwlad mae dy ffrind Ceredin yn dod. Fe fyddwn i wedi'i yrru yn ôl drwodd oni bai ei fod ar ffo rhag y gyfraith. Ond fe gaiff ad-dalu dy haelioni a'th arwain at y derwyddon.

Dos â'r cryman gyda thi. A rho dy ffydd ynof i, Tomos. Bydd y derwyddon yn gwybod beth i'w wneud! A thithau hefyd, gobeithio.

Yn gywir,

Dafydd y Dewin

Gosododd Tomos y llythyr yn ofalus yn ôl yn y gist a chau'r caead. Safodd yno am rai munudau â'i feddyliau'n chwyrlïo, nes i olau'r llusern ddechrau pylu a'i symbylu i symud. Gwyddai beth i'w wneud. Aeth yn ôl i'r Hen Ffermdy, tynnu'r esgidiau glaw yn ofalus oddi ar ei draed, gafael yn y cryman a bwysai'n erbyn y wal, mynd i mewn i'r ystafell fyw ac ysgwyd Ceredin yn effro.

'Dihuna'r lwmp!'

'Y... y... pwy sy 'na?'

'Fi!' Tynnodd Tomos y botel win o law Ceredin a'i gosod y tu hwnt i'w afael wrth y lle tân. Cododd Ceredin yn ddryslyd ar ei eistedd a dechrau protestio. 'Shh! Paid â deffro'r lleill.'

'Dim fi wnaeth ddwyn y gwin...'

'Beth yw hanes y porthwll 'ma? I ble ma fe'n arwain?'

'Dwi ddim yn mynd 'nôl yno,' meddai Ceredin yn bwdlyd benderfynol gan blethu'i freichiau. 'Bydd milwyr Brenin y Gogledd am fy ngwaed i.'

'Dywedodd 'Nhad fod yn rhaid rhybuddio'r derwyddon fod Cyrn-y-nos wedi dychwelyd.'

'Pam? Does arna i ddim byd i'r cachwrs yna! A does a wnelo'r mater ddim byd â ti, beth bynnag.'

'Y peth ola ddywedodd 'Nhad wrtho i, Ceredin, oedd mai arna i roedd y cyfrifoldeb o hyn ymla'n.'

'A wnaethost ti ddim derbyn y cyfrifoldeb?'

'Wrth gwrs gwnes i, roedd e'n marw. Ro'n i'n meddwl 'i fod e'n sôn am y ffarm!'

'Dwi'n gwybod dy fod ti'n teimlo'n euog – mae hynny'n ddigon naturiol. Ond ddaw dim lles o ddilyn ôl ei draed ac ymhél â dewindabaeth gwrachod a duwiau...'

'Na, dwi ddim yn teimlo'n euog, Ceredin. Rwy'n moyn gwbod beth sy mor bwysig am y porthwll hyn. Mor bwysig nes bod fy nhad mabwysiedig wedi bod yn palu celwydde wrtho i ers dros ugen mlynedd.' Tynnodd Tomos gadair ato ac eistedd yn benderfynol.

Pwysodd Ceredin ei ben yn ôl ar y gobennydd. 'Gwna fel y mynni di. A phob lwc i ti, gyfaill,' meddai, a chau ei lygaid.

'Fe alla i alw'r gyfraith atat ti.'

'Sut y gwnei di hynny? Wyddost ti ddim oll am fy hanes.'

'Rwy'n gwbod dy fod ti ar ffo rhag y Brenin. Dyw e ddim yn berson anodd dod o hyd iddo, greda i... '

'Fyddet ti ddim yn para diwrnod,' meddai Ceredin. 'Dos di os wyt ti eisiau – a gobeithio bydd rhyw flaidd yn dy lusgo di'n ôl fel bydd gennym ni rywbeth i'w gladdu.'

Cododd Tomos ei gryman a'i anelu'n fygythiol at Ceredin.

Agorodd hwnnw'i lygaid led y pen. 'Be wyt ti'n neud?' gofynnodd a'i lais yn llawn dychryn. 'Paid anelu hwnna tuag ata i!'

Doedd Tomos ddim wedi bwriadu gwneud dim byd â'r cryman, dim ond bygwth Ceredin. Ond wrth iddo'i godi i'r awyr, roedd fel petai ei holl angerdd wedi llifo trwyddo fel cerrynt. Saethodd pelydryn symudliw ohono, dros ben Ceredin a tharo'r lle tân.

'Gwylia lle ti'n anelu hwnna!' sgrechiodd Ceredin, a'i luchio ei hun ar lawr.

Ond roedd Tomos yn syllu ar y lle tân. Yn lle'r cerrig moel y tu ôl i'r grât gwelai lannerch mewn coedwig a chylch o feini hirion o'i hamgylch. Roedd hi'n bwrw glaw yn drwm yno, ac fe ddiferodd ychydig o'r gwlybaniaeth dros yr aelwyd ac i mewn i'r ystafell fyw.

'Cedors gwrach!' rhegodd Ceredin. 'Roedd dy dad yn lembo, wyt ti'n gwybod hynny?'

'Beth ma fe wedi'i neud i fi?' gofynnodd Tomos yn syn,

gan syllu ar y porthwll ac yna ar y cryman am yn ail.

'Tomos, roedd dy dad yn ddewin. Y cryman 'na oedd ei hudlath – wel, dy hudlath di erbyn hyn.'

'Fy hudlath i?'

'Yr unig ffordd i gael bod yn ddewin yw cael dewin arall i drosglwyddo'i hud i ti pan fydd ef yn marw. Does 'na ddim llawer ohonyn nhw ar ôl erbyn hyn, achos does 'na neb yn ddigon twp i gymryd y fath gyfrifoldeb. Ond mi wnaethost ti.'

'Ofynnes i ddim am fod yn ddewin!'

'Ond gwnest ti dderbyn y cyfrifoldeb o gario ymlaen â'i waith o, yn'do?'

'Dodd dim syniad 'da fi am beth rodd e'n sôn!' Rhwbiodd Tomos ei dalcen. 'Beth ddylwn i neud nawr?'

'Bydd yn rhaid mynd â ti i weld dewin profiadol. Os nad wyt ti'n dysgu sut i reoli'r hud fe allet ti ffrwydro yn y fan a'r lle – a dwi ddim eisiau bod o fewn milltir i ti pan fydd hynny'n digwydd!'

Rhewodd Tomos a syllu'n bryderus o'i amgylch fel pe bai'n wreichionen mewn ffatri tân gwyllt.

'Pryd byddwn ni'n gadel?' gofynnodd.

'Allwn ni ddim mynd rŵan, maen nhw'n saethu unrhyw beth sy'n llechu yn y goedwig ar ôl yr hwyrgloch. Fe awn ni ben bore. Ond tan hynny,' meddai Ceredin gan bwyntio at Tomos a'i gryman, 'paid â chodi o'r gadair a phaid â symud modfedd.'

Cododd Ceredin yn ofalus a sleifio wysg ei gefn allan o'r ystafell.

'Hei, lle rwyt ti'n mynd?'

'Yn ddigon pell oddi wrthot ti. Fe wna i gysgu yn y sgubor heno – a phaid â rhoi pen dy fys ar y cryman 'na!'

Fore trannoeth, roedd Tomos yn dal i eistedd yn y gadair. Teimlai fel pe bai ar ei wely angau. Symudai'r lleill o'i amgylch yn araf a gofalus, gan ofyn bob dau funud sut roedd e'n teimlo a chan edrych yn bryderus ac yn lled amheus arno.

'Does 'na'm ffor o sugno'r hud allan ohono fo?' gofynnodd Dylan. 'Constipation pills? Alla i ddefnyddio'r hwfer?'

'Na, fydd yr hud ddim eisiau dod allan,' atebodd Ceredin. 'Mae dewiniaid pwerus yn denu hud fel mae cŵn yn denu chwain, a Tomos ydy'r unig gi sy'n ddigon drewllyd yn y wlad yma. Unwaith byddwn ni yn y Fabinogwlad bydd modd iddo gyfogi rhywfaint ohono.'

'Cyfogi?' gofynnodd Tomos yn syn.

'O, plîs,' meddai Angharad. 'Ma fe'n tynnu dy goes di, Tomos. Sna'm fath beth â hud a lledrith i' gael. Mae'n mynd i dy lusgo di i mewn i'r goedwig a gwagio dy boced di.'

Gwgodd Ceredin ar Angharad. 'Nid lleidr mohono i, ferch!'

'Pam rwyt ti'n meddwl bod y gyfraith ar 'i ôl e? Con artist yw'r bachan.'

'Angharad, rhaid i ti 'nghredu i,' meddai Tomos. 'Rwy wedi'i weld e gyda'n llygaid 'yn hunan!'

'Mae hyn yn union fel bod yn yr ysgol gynradd pan ddywedodd Dad wrtho i nad oedd Siôn Corn yn bodoli am nad oedd 'i geirw yn ufuddhau i reolau disgyrchiant, ac fe chwarddodd pawb ar 'y mhen i.' Edrychodd Angharad i lawr yn bwdlyd a'i llygaid yn llawn dagrau.

'Mynd am yr Oscar eto,' sibrydodd Dylan wrth Ceredin.

Anwybyddodd Tomos nhw a rhoi ei fraich amdani'n gysurlon. 'Mae'n iawn. Beth am i fi drio dangos rhywfaint o hud a lledrith i ti?'

'Iawn,' meddai hi'n betrusgar.

'Be ddywedais i wrthat ti, Tomos?' protestiodd Ceredin.

'Mae'r cryman yna'n beryg. Aiff dewin â'i ddiben ar blesio dynes i drybini, fel y dywed yr hen ddihareb.'

'Dim ond un swyn bach,' meddai Tomos, ac anelu ei gryman at ddarn moel o'r carped ynghanol y llawr. Caeodd ei lygaid a cheisio meddwl am rywbeth fyddai'n gwneud argraff ar Angharad. Ymrithiodd delwedd o glustdlws yn ei feddwl – un hardd o feriliwm, yn crogi ar waelod...

'Ych a fi!'

Agorodd Tomos ei lygad. Gorweddai clust ar lawr.

'Clustdlws oedd e i fod!' meddai Tomos.

'Ti'n gweld,' ebe Ceredin. 'Does gen ti'm rheolaeth dros dy allu. Beth petai dy feddwl wedi crwydro ymhellach... at arth neu ryw anferthwch arall? Glywaist ti erioed chwedl Dyfrig a Siwgamadog – y plentyn a alwodd am fwystfil i ddial ar ei elynion, a'r bwystfil hwnnw'n ei larpio'n fyw?'

Ond roedd Angharad yn gwenu.

'Paid gwrando arnyn nhw, Tomos. Cadwa bob diferyn o'r hud 'na,' meddai. 'Rwy'n meddwl 'i fod e'n grêt, a rwy'n dod gyda ti drwy'r porthwll.'

'O'n i'n meddwl dy fod ti'n moyn symud i fyw i Bontcanna?'

'Wel sai'n siŵr nawr, gan dy fod ti'n ddewin hollbwerus.' Gafaelodd ym mraich Tomos a'i thylino fel pe bai hi'n medru teimlo'r hud yn llifo drwyddi. 'Pa fath o bethau fydd e'n gallu'u gwneud yn y pen draw, Ceredin? Troi pethau'n aur, hedfan, y math yna o beth?'

'Wn i ddim. Fe welais i ddewin unwaith yn troi teulu cyfan yn dorred o foch.'

'Wel, fe allai hynny fod yn ddefnyddiol...'

Ar orchymyn Ceredin, gwisgodd Tomos a Dylan hen drowsusau a chrysau treuliedig a charpiog, fel eu bod yn debyg i werinwyr o'r byd tu hwnt i Ddrws Dychymyg. Bu'n rhaid i Dylan roi ei grys Eithafwr o'r neilltu a châi'r un o'r ddau wisgo jîns. Doedd gan Angharad ddim dillad carpiog, ac fe dreuliodd hydoedd yn yr ystafell wely yn dewis yr eitemau mwyaf henffasiwn yr olwg o'i wardrob. Pan ymddangosodd o'u blaen o'r diwedd yn gwisgo sgert laes goch llachar, blows wen a gwddf pur isel a gwasgod ledr, rhythodd y tri'n gegrwth arni.

'Beth yw hyn – yr oes dywyll *via* sioe ffasiwn Paris? Osgoi sylw ry'n ni'n treial neud, dim 'i wahodd e,' meddai Tomos wrth ei gweld hi'n modelu'r wisg.

'Paid â phoeni,' sibrydodd Ceredin wrth Tomos. 'Mae puteiniaid yn aml yn gwisgo'r math yna o ddillad lliwgar heb adael dim i'r dychymyg.'

Gwgodd Tomos.

Aeth y pedwar i sefyll yn yr ystafell fyw o flaen y lle tân.

'Sai'n siŵr sut 'nes i hyn tro diwetha,' meddai Tomos, gan ddal y cryman o'i flaen.

'Yr un hen stori,' meddai Angharad gan rowlio'i llygaid.

'Mae'n rhaid i ti orchymyn y porthwll yn awdurdodol,' meddai Ceredin. 'Rhaid ti gredu y gwneith o agor i ti.'

Caeodd Tomos ei lygaid unwaith eto, a chanolbwyntio. Gallai weld y llannerch o'i flaen, yn ei feddwl. Roedd tad Angharad wedi sôn wrtho unwaith am Andromeda, y galaeth agosaf i'r Llwybr Llaethog a'r unig un y gall dyn ei weld â'i lygaid noeth. Ond dim ond pan *nad oedd* rhywun yn edrych yn syth tuag ato. Roedd yn weladwy drwy gil y llygad yn unig. Yn yr un ffordd, dim ond wal gerrig oedd hon o edrych arni, ond wrth edrych i'r naill ochr...

Roedd fel camu drwy'r wal. Nid oedd siâp y tir wedi newid dim, yn ôl yr hyn y gallai Tomos ei weld. Ymdonnai'r bryniau o'u hamgylch yr un fath ag arfer ac roedd y môr i'w weld o'u blaenau yn yr un man ag ydoedd yn eu byd nhw. Ond roedd tŷ ffarm Pen-y-bryn wedi diflannu, er bod modd gweld ystafell fyw yr Hen Ffermdy drwy'r drws o feini hirion roedden nhw wedi camu trwyddo. O'u cwmpas roedd coedwig drwchus lle gynt y bu caeau, ac o'u blaen roedd blerdwf tref yn ymestyn i bob cyfeiriad, a'r toeau llechi anwastad yn sgleinio dan haul y bore. Draw yn y bae, gwelai Tomos ddegau o gychod a'u hwyliau'n bochio yn y gwynt.

'Croeso i Gaerbontllan,' meddai Ceredin, gan roi hergwd i Tomos ar ei gefn.

Gorchmynnodd Tomos i'r porthwll gau ac yna clymodd ei gryman yn ddiogel ar ei gefn. 'Dinas ladronllyd o sorod ysgeler. Mae arwyddair y dref yn dweud y cwbl, dybia i: "I'r pant y rhed y garthffosiaeth".'

Crychodd Angharad ei thrwyn. Doedd dim palasau mawreddog yn y golwg.

Ymlwybrodd y pedwar ohonynt drwy'r coed ac i lawr y bryn tuag at byrth y ddinas. Cododd Angharad ei sgert ysgarlad i atal y baw rhag ei chyffwrdd.

O'u blaen safai dau ddyn tal, barfog yn eu gynau gwynion, un bob ochr i ddrws pren anferth yn y mur. Roedd gan un ohonynt hanner dwsin o sgroliau wedi'u clymu wrth ei wregys a chan y llall gorn mawr ar ei wregys. Edrychent yn ddrwgdybus ar y pedwar wrth iddynt agosáu.

'Derwyddon ydyn nhw,' sibrydodd Ceredin yng nghlust Tomos. 'Lleng yr Orsedd sy'n rheoli muriau'r dref.'

'Cyfarchion... deithwyr,' meddai derwydd y corn mawr, yn oeraidd. 'Diolch i'r Drefn.'

'Henffych, gyfeillion,' meddai Ceredin, yn gwenu fel giât ar lwybr tarw. 'Diolch i'r Drefn,' meddai gan grymu ei ben.

'Ar ba berwyl y daethoch chi i Gaerbontllan?'

'Triawd o ddigrifweision ydym ni,' meddai Ceredin gan roi naid fach. 'Wedi dod i geisio llwyddiant yn llysoedd y pendefigion.'

Cododd un o aeliau'r derwydd yn uwch na'r llall. 'Triawd? Ond mae 'na bedwar ohonoch!'

'Dyna… dyna'r doniolwch, welwch chi.'

'Mae'r dref yn orlawn o ddigrifweision, pob un cyn waethed â'i gilydd,' meddai'r ail dderwydd. 'Ewch ymaith i un o'r trefi eraill.'

'Mi fentron ni'n lwc yng Nghaer-drws eisoes, ond fe gaeon nhw'r drws yn ein gwynebau ni.'

Craffodd yr ail dderwydd ar wyneb Ceredin cyn tynnu un o'r sgroliau o'i wregys a'i hagor a'i dangos i'r derwydd cyntaf. Darllenodd hwnnw'r sgrôl ac amneidio'n fygythiol ar Ceredin.

'Ceredin ap Caradog – ei eisiau yn fyw neu'n farw am anweddustra gyda merch Brenin y Gogledd,' darllenodd y derwydd. Trodd y sgrôl tuag atynt a dangos llun cartŵn o'r bardd. 'Deuddeg darn aur yw'r wobr. Mi fyddai hynny'n rhodd deg i gasgliad yr Orsedd, diolch i'r Drefn.'

Roedd Ceredin wedi rhewi a'i lygaid yn fawr gan ofn. Cymerodd Tomos, Angharad a Dylan gam yn ôl.

'Mae troseddwyr sy'n dod o fewn muriau'r dref dan awdurdod Urdd y Derwyddon, Ceredin fab Caradog. A wyddost ti beth yw cosb yr Urdd am drosedd rywiol?'

Gwingodd Ceredin wrth i'r derwydd wneud ystum siswrn.

'Ie, diolch i'r Drefn. Gei di anghofio am dy swydd fel digrifwas a dechrau gyrfa fel canwr. Ymaith nawr cyn i mi seinio'r corn i gyrchu'r sbaddwr.'

Trodd Ceredin ar ei sawdl ac ymlwybro nerth ei draed yn ôl i gyfeiriad y goedwig â'r lleill yn ei ddilyn.

'Beth ry'n ni am ei wneud nawr?' gofynnodd Angharad.

'Na phoener, rydw i'n hen law ar fynd lle nad oes croeso i mi,' meddai Ceredin. 'Mae waliau'r dref yn rhidyll o dramwyfeydd cudd.'

Arweiniodd Ceredin y tri drwy borth arall, llai mawreddog yr olwg, drwy wal fwsoglyd adfeiliedig yng ngafael y goedwig. Fe gerddon nhw i lawr stryd gul o hen adeiladau cerrig anniben, gwag, a brigau'r coed yn doeau arnynt. Ni welson nhw'r un enaid byw.

'Beth oedd yr holl fusnes "Diolch i'r Drefn" 'na?' gofynnodd Tomos.

'Mae'r derwyddon yn credu mai'r Drefn sy'n rheoli eu bywydau, a bod angen dinistrio unrhyw derfysgwyr nad ydyn nhw'n rhan o gynllun y Drefn,' meddai Ceredin. 'Maen nhw'n casáu unrhyw beth anodd ei reoli – pethau fel planhigion, troseddwyr a duwiau drygionus.'

Gwthiodd Tomos frigyn o'r ffordd. 'Clywais i Gyrn-y-nos yn dweud taw ef oedd Arglwydd Tryblith.'

'Ie, nawr rwyt ti'n gwybod pam eu bod nhw'n ei gasáu e gymaint. Wel, dy'n ni ddim yn rhan o'r Drefn chwaith, wrth reswm, felly bydd angen mynd i mewn i Gaerbontllan drwy'r hen ddull – y sgwd tŷ bach.'

Disgynnai glaw mân o'r awyr, gan gronni yn y dail uwchben a rhedeg yn ddiferion bras i lawr eu gwarrau.

'Wyt ti'n gwybod i ble rwyt ti'n mynd, Ceredin?' gofynnodd Tomos.

'Ydw, dwi'n nabod y dre fel cefn fy llaw. Ond weithiau byddan nhw'n cau rhai strydoedd, i rwystro'r pla rhag ymledu. Dyw trigolion Caerbontllan ddim yn enwog am eu glendid. A bydd y goedwig yn hawlio unrhyw beth a gaiff ei adael gan y dref.'

Arweiniodd nhw i lawr ale mor gul fel bod y waliau o boptu'n sgriffio'u penelinoedd, ac yna bu'n rhaid iddynt fynd ar eu cwrcwd drwy dwll yn y wal. Roedd oglau afiach yn codi ohono.

'Pwy sydd eisiau mynd gyntaf?' gofynnodd Ceredin.

'Sai'n mynd ar fy mhengliniau mewn cachu,' meddai Angharad.

'Tyrd, mi rown ni hwb i fyny i ti.'

Yn anfodlon cropiodd Angharad ar ei phedwar i mewn i'r twll. 'Ych a fi! Mae'n codi cyfog arna i.'

'Wyt ti'n gweld golau, Angharad?' gofynnodd Ceredin.

'Ydw,' atseiniodd ei llais o'r twnnel. 'Uwch fy mhen.'

'Dringa tuag at y golau.'

Diflannodd coesau Angharad o'r golwg wrth iddi ddringo i fyny'r sgwd.

'Pwy sy nesa?' gofynnodd Ceredin.

'A' i,' meddai Tomos, gan glymu'r cryman yn frysiog ar ei gefn a chropian i mewn ar ei hôl. Wrth i'w lygaid ddod yn gyfarwydd â'r gwyll gwelodd ei fod yn sefyll wrth ymyl pydew. Ni allai weld beth oedd ar waelod y pydew, ond awgrymai'r drewdod yn gryf iawn beth oedd ei gynnwys.

Cododd ei ben a gallai weld llygedyn bach o olau crwn fel eurgylch uwch ei ben. Gosododd ei draed ar y wal gyferbyn a dechrau dringo. Diolchodd fod digonedd o leoedd ar y cerrig gludiog, anwastad i'w law a'i droed gael gafael ynddynt.

Wedi iddo gyrraedd hanner ffordd edrychodd i lawr a gweld Ceredin a Dylan yn ei ddilyn.

'Pw, Tomos, ti 'di gollwng un?' atseiniai llais Dylan.

Yna, clywodd Tomos leisiau uwch ei ben, a chlustfeiniodd. 'Shh!' meddai wrth y ddau arall. Clywodd lais Angharad, a llais dwfn, blin.

... *Hoi, beth rwyt ti'n 'i wneud mewn fa'ma?*

... *Mae'n ddrwg gen i, wyddwn i ddim...*

Toiled y milwyr 'di hwn. Cacha drwy'r ffenast fel gweddill y morynion...

Clywodd Tomos ddrws yn cau'n glep, ac anadlodd eto.

Roedd Angharad wedi dianc.

Ac yna, fel diffyg ar yr haul, ymollyngodd pen-ôl mawr tew dros y twll uwch ei ben. Ceisiodd ddringo i lawr ar frys, ond roedd Dylan y tu ôl iddo.

Roedd hi'n rhy hwyr.

'Os gwnei di awgrymu rhywbeth mor dwp eto, Ceredin, fe daga i di!' meddai Angharad, gan geisio glanhau ei dillad â hances boced. 'Rwy'n gwynto fel tomen dail. Gawn ni fynd adref nawr, plîs?'

'O leia wnaeth neb gachu ar dy ben di,' atebodd Dylan hi'n biwis wrth geisio sychu ei ben â'i lawes.

'Gei di fynd 'nôl lawr y sgwd os wyt ti eisiau,' awgrymodd Ceredin. 'Mae'r derwyddon yr un mor gyndyn i adael pobl allan ag ydyn i'w gadael nhw i mewn.'

'Wel o leia ry'n ni o fewn y walie,' meddai Tomos, gan geisio cau ei ffroenau.

'Ac o leia dach chi'n edrych ac yn drewi fel brodorion Caerbontllan erbyn hyn...'

Roedd drws y tŷ bach yn agor i'r farchnad mewn sgwâr ar gyrion y dref. Cerddai tyrfa o bobl fan hyn a fan draw gan archwilio ceffylau, asynnod, a gwartheg blewgoch â chyrn hir, troellog. Ceid rhesi hir o stondinau pren o amgylch y sgwâr yn gwerthu cigoedd, bara a llysiau.

Doedd Tomos erioed wedi gweld pobl o'r fath tu allan i ysbyty – rhai'n amlwg yn eithaf ifanc, ond pob un ohonynt yn edrych yn hen cyn ei amser. Roedd eu hwynebau'n goch ac yn rhychiog, ôl gwaith caled ym mhob tywydd yn amlwg arnynt, a thyfai lympiau madreddog ar groen ambell un. Roedd golwg lluddedig ar rai wrth iddynt lusgo'u nwyddau drwy'r mwd a orchuddiai'r coblau yn y sgwâr.

Ynghanol y cwbl eisteddai dyn ar ben cart o wair yn canu

telyn fwa debyg i un Ceredin, ac yn bloeddio llefaru ei gerdd dros yr holl sgwâr. Roedd tyrfa fach wedi ymgasglu i wrando arno.

'Mae'r safonau'n dal i ddisgyn, fe welaf,' meddai Ceredin wrth ddyn yn ei ymyl, ac amneidiodd hwnnw'n ddoeth.

'Yn wir, mae pob llipryn o gafn y to'n meddwl y gall farddoni'r dyddiau hyn,' meddai'n ddirmygus. 'Pe bai cynghanedd lusg y bardd hwn yn llusgo ymhellach mi fyddai'n disgyn oddi ar yr awdl. Dyma'n tynged ni'n awr gan nad yw'r derwyddon yn caniatáu i'r beirdd o fri ddod drwy borth y ddinas.'

'Be 'di o, felly?' gofynnodd Dylan.

'Newyddiadurfardd, os yw'n haeddu'r enw,' meddai Ceredin. 'Ei swyddogaeth yw mynd i'r brwydrau mawr, ac yna teithio o dref i dref yn llafarganu ei adroddiad ar y digwyddiadau i gyfeiliant y delyn.'

Pwniodd Tomos ef. 'Dewch mla'n, bois, dim twristiaid y'n ni. Fe awn ni â neges Dad at yr Archdderwydd – mynd i weld y dewin dwl 'ma, a wedyn mynd gartre'n syth.'

'Mi gaiff Angharad a Dylan fynd i deml y derwyddon,' meddai Ceredin. 'Mae'n bwysicach dy fod ti'n mynd i weld y dewin cyn gynted ag y bo modd. Fe wnawn ni gyfarfod yn ôl fan hyn cyn machlud haul. Ond dim hwyrach!'

'Hei, be wnawn ni am arian?' gofynnodd Angharad.

Ochneidiodd Ceredin a thynnu ambell ddarn efydd o'i boced a rhoi un yr un iddyn nhw. 'Digon am afal neu ddarn o fara,' meddai.

Edrychodd Tomos ar ei ddarn ef. Ar un ochr roedd pen blonegog brenin a chanddo farf doreithiog a choron ar ei ben. Ar yr ochr arall roedd ceffyl â thair cynffon.

'Dau ddarn efydd?' gofynnodd Angharad yn biwis. 'Ti'n siŵr ein bod ni mewn byd arall, 'ta ydy pawb fan hyn yn

Gardi hefyd?'

'Dyna'r oll sydd gen i'n weddill,' meddai Ceredin yn swta. 'Mae'r geiniog ola'n werth mwy na'r gynta.'

Ffarweliodd Angharad a Dylan â nhw a mynd i gyfeiriad teml y derwyddon. Gallai Tomos weld ei meindyrau gwyn yn y pellter, yn ymrithio dros doeau'r tai eraill fel cacen briodas.

Tynnodd Ceredin Tomos drwy'r farchnad tan iddynt gyrraedd stondin yng nghornel y sgwâr nad oedd yn ddim mwy na phabell anniben gyda rhwyg ar un ochr yn ddrws iddi. Roedd hi'n dywyll y tu mewn, ond pan ddaeth llygaid Tomos i arfer â'r tywyllwch gwelodd ddyn bach pen moel a eisteddai ar garped o wair yn gwenu arno'n ddiddannedd.

'Wedi dod i gael gweld dy ffawd, ife?' meddai'r dyn. 'Mae Gerallt ab Anllech yn gweld y cyfan!'

'Helô, Gerallt,' meddai Ceredin. 'Dim gweledigaethau heddiw, os gwelwch yn dda. Chwilio am ddewin ydyn ni. Mae hwn eisiau bod yn brentis.'

'Chewch chi 'run yng Nghaerbontllan. Maen nhw i gyd wedi ffoi,' meddai'r hen ddyn, 'neu wedi'u taflu allan. Alla i'm shwfflo pac o gardie heb iddyn nhw droi 'mhabell i wyneb i waered.'

'Be am Selwyn y Swynwr?'

'Celaingodwr yw e. Wnaiff e ddim lles i grwt fel hwn fod yn un o'r rheiny. Gad i mi weld dy law di nawr 'te.'

'Does yna neb arall yn y ddinas?' gofynnodd Ceredin. 'Beth am y cantrefi eraill?'

Meddyliodd yr hen ddyn. 'Beth am Dewi'r Dewin yn yr Hendref? Roedd e'n arfer bod yn un ohonyn nhw, ond mae e wedi edifarhau erbyn hyn...'

'Diolch, Gerallt,' meddai Ceredin a cheisio llusgo Tomos

ar ei ôl. Ond roedd Gerallt wedi gafael ynddo yn y pen arall.

'Gad i fi weld dwylo hwn gynta, fel tâl am fy ngwasanaeth,' meddai Gerallt. Trodd ddwylo Tomos wyneb i waered fel bod ei gledrau'n ei wynebu. 'Myn diawl. Welais i erioed ddwylo mor llyfn yn fy myw. Ac yn binc fel pen-ôl mochyn. Yn sicr, hwn yw'r mab darogan...'

'Rwyt ti'n dweud hynny am bawb,' meddai Ceredin. 'Dywedaist hynny am Cadwgan ap Brwgast, a dois i o hyd iddo ef yn nofio yn afon Winwn y bore wedyn.'

'Do, ond ddywedes i ddim beth roeddwn i wedi'i ddarogan iddo, naddo,' meddai Gerallt yn flin, gan ollwng dwylo Tomos. 'A gwnes i broffwydo digon o drwbwl i ti – dyna un weledigaeth a ddaeth yn wir!'

Arweiniodd Ceredin Tomos o olwg y tyrfaoedd. Plygai'r adeiladau drostynt fel hen wrachod cefngrwm, eu fframweithiau derw yn gwegian dan eu pwn. Aeth Ceredin ag ef i lawr ale, ac yna ale arall llai fyth a thuag at ddrws bach coch yn y pen pellaf, gyda chnociwr pen cythraul anfad yr olwg arno.

'Cyn i ti fynd i mewn,' meddai Ceredin, 'mae'n rhaid i mi dy rybuddio di. Cofia fod y Fabinogwlad yn fyd o chwedlau, a bod chwedlau'n tueddu i droi mewn cylch.'

'Be wyt ti'n 'i feddwl?'

'Yr hyn a wnaeth dy dad, mae'n debyg iawn y bydd yn rhaid i tithau ei wneud hefyd.'

'Gwneud beth?'

'Wynebu'r sawl a'i lladdodd ef a dial arno.'

'Wyt ti'n wallgo? Alla i ddim ymladd yn erbyn Cyrn-y-nos! Mae e'n dduw.'

'Efallai na fydd gen ti ddewis,' sibrydodd Ceredin. 'Mi wnaeth rhyw hud rhyfedd fy nhywys drwy'r porthwll i'ch byd chi. Rydym ni oll yn ddarnau gwyddbwyll yn y byd hwn, ac mae ffawd eisoes yn dy symud i dy le penodedig.'

Gafaelodd yn y cnociwr anfad yr olwg a'i daro yn erbyn y drws.

'Rhaid i ti fynd i mewn ar dy ben dy hun, Tomos.'

'Pam?'

'Am fod arna i ofn, y crinc!' Ymdoddodd Ceredin i'r cysgodion. Syllodd Tomos yn bryderus ar ei ôl.

Agorodd y drws fodfedd wrth fodfedd, a syllodd Tomos i mewn i'r gwyll.

'Tyrd i mewn, was,' meddai llais o'r tywyllwch.

Nid oedd gan Tomos ddewis ond camu ato.

Sleifiodd Dylan ac Angharad drwy'r strydoedd, gan osgoi edrych i mewn i lygaid y bobl a gerddai heibio. Âi'r llwybrau i bob cyfeiriad fel drysfa, a'r unig beth i'w harwain oedd tyrau'r deml yn sefyll yn unionsyth uwchben y toeau o'u blaen.

Wedi gwau drwy'r strydoedd culion daethon nhw o'r diwedd at borth blaen y deml, a edrychai'n debycach i gaer na lle o addoliad. Codai'n fygythiol a chlaerwyn drostynt y tu ôl i waliau uchel.

Wrth y drws ffrynt, safai derwydd swmpus yr olwg yn gafael mewn bwyell gawraidd a oedd fel estyniad i'w freichiau cyhyrog.

'Dyma ni 'to,' meddai Angharad. 'Fyddan nhw ddim yn gadael i ni fynd heibio. Man a man i ni fynd gartref.'

'Mae'n siŵr cawn ni fynd i mewn achos tydi Ceredin ddim efo ni'r tro 'ma,' meddai Dylan. Cerddodd yn eofn tuag at y derwydd. Dilynodd llygaid hwnnw ef gam wrth gam.

'Peidiwch â dod dim nes!' cyfarthodd wrth i Dylan ddod o fewn llathen i'r giât. 'Dim ond aelodau'r Orsedd sydd â'r hawl i fynd heibio... Diolch i'r Drefn.'

''Dan ni wedi dod i siarad â'r Archdderwydd.'

Cuchiodd y derwydd arnynt. 'Paham?'

'Sgen i ddim ham arna i,' meddai Dylan.

'Ydy'r Archdderwydd i mewn?' gofynnodd Angharad.

'Rydw i'n ffyddiog ei bod hi. Ond, ferch fach, rydw i wedi gweithio yma ers pan oeddwn i'n gorrach o beth a dydw *i*, hyd yn oed, erioed wedi cael y fraint o siarad â hi.'

''Dan ni 'di dŵad ar berwyl pwysig, con', so gwranda,' meddai Dylan. 'Beth petawn i'n deud bod y duw natur, Cyrn-y-nos, wedi dianc drwy borthwll rhyng-ddimensiynol a'i fod yr ennyd hon yn bwrw'i lid ar hyd y fro?'

'Mi fyddwn i'n dy alw di'n gelwyddgi,' atebodd y derwydd. 'Fe alltudiwyd Cyrn-y-nos i'r Tiroedd Coll ddegawdau yn ôl.'

'Mae e wedi dychwelyd,' meddai Angharad. 'Cyrn mawr ar 'i ben, coesau blewog fel gafr...' ychwanegodd gan wneud ystum cyrn gyda'i bysedd ar ei thalcen.

'Does dim prawf gennych chi...'

Tynnodd Dylan ei ffôn symudol o'i boced. 'Wele, anghredadun. Crair o'r byd y tu hwnt i len y fodolaeth hon!'

Syllodd y derwydd yn chwilfrydig arno. 'Carreg?'

'Ar yr olwg gyntaf, ia. Ond drwy ddefnyddio'r ddyfais hud hon mae modd cysylltu efo cyfeillion dros bellteroedd mawr.' Edrychodd ar y sgrin. 'Ond does gen i'm signal ar y funud. Ond, yli, ti'n gallu tynnu lluniau.'

Anelodd y ffôn tuag at wyneb y derwydd a neidiodd fflach ohono.

'Fflach dila? Gall pob carreg greu gwreichion,' ebe hwnnw'n ddigynnwrf.

Trodd Dylan y ffôn symudol at y derwydd a dangos ei wyneb wedi'i ddal ar y sgrin. Camodd hwnnw'n ôl gan floeddio mewn ofn.

'Rwyt ti wedi dwyn fy enaid a'i garcharu o fewn dy garreg

hud!' Gollyngodd y fwyell anferth ar lawr. 'Pa ddewindabaeth anfad a chreulon yw hyn?'

Gafaelodd yn Dylan ac Angharad â'i freichiau mawr cyhyrog.

'Cewch chi'ch dau eich boddi fel gwrachod! Paratöer y stôl drochi!'

'Gadewch i mi alw fy nghyfreithiwr,' meddai Dylan.

Cipiodd y derwydd y ffôn oddi arno, ei osod ar lawr, a'i falu'n deilchion gyda'i fwyell.

Ymbalfalodd Tomos drwy'r tywyllwch. Wrth i'w lygaid ymgynefino'n araf â'r diffyg golau, gwelai bentyrrau o lyfrau llychlyd swmpus yn gorwedd ar hyd y llawr a'r byrddau, a darnau o beiriannau haearn rhyfedd yn ymwthio i'r golwg oddi tanynt. Hongiai llenni trwchus ar y ffenestri.

'Tyrd yn nes, fachgen...' meddai'r llais trwynol o'r awyr.

'Lle ry'ch chi?' gofynnodd Tomos.

'Rydw i'n anweledig,' atebodd y llais.

Sylwodd Tomos ar bâr o sliperi yn pipian o dan odre un o'r llenni. Gafaelodd yn y defnydd a'i godi, ond doedd dim yno ond sliperi gwag wedi'r cwbl.

Clywodd sŵn bach fel swigen yn popio ac ymddangosodd dyn mewn clogyn hir amryliw o'i flaen. Camodd Tomos yn ôl mewn braw a baglu i ganol y llanast o lyfrau ar lawr. Tynnodd y dewin ffon fetel o'i glogyn a'i hanelu tuag ato.

'Wedi dod i'm llofruddio i, ie?' meddai. 'Pwy wnaeth dy yrru di?'

'Neb!'

'Neb? Y Brenin? Yr Urdd? Mordecai o'r De? Wedi blino disgwyl am ei lwyth o gocos, ym?'

'Rwy i yma i gael fy hyfforddi fel prentis!' meddai Tomos, ar ei gwrcwd. 'Dewin ydw i.'

Gostyngodd y dyn y ffon yn ei law. 'Dewin, ie? Oes gen ti hudlath?'

Tynnodd Tomos ei gryman o'r tu ôl i'w gefn a'i estyn yn ochelgar er mwyn i'r dewin gael gafael ynddo. Dyn ifanc, byr, boldew ydoedd gyda gwallt cwta du a'i wyneb fel lleuad lawn. Anwesodd ei ddwylo y cryman.

'Yn sicr mae'n hudol, ond braidd yn rhydlyd,' meddai. 'Rhaid i ti gofio sgleinio dy hudlath bob dydd.'

'Mae'n hen, a than yn ddiweddar roedd yn eiddo i ddewin o'r enw Dafydd…'

'A! Ac roedd fy hudlath i'n gorcyn ar din Morys y Gwynt.' Estynnodd y dewin y cryman yn ôl iddo. 'Lol botes maip yw'r cyfan. Mae pobl yn honni bod pob darn o sbwriel yn y farchnad wedi bod yn eiddo i ddewin o fri. Fuodd Dafydd farw ddegawdau'n ôl, a diflannodd ei hudlath gydag ef.'

Cododd y dewin bentwr o lyfrau trwchus o'r bwrdd a'u cario i'r ystafell gefn. Dilynodd Tomos ef a gweld bod yr ystafell yn llawn hen gocos a gweddillion peiriannau haearn. Yn y gornel roedd ffwrnais ddur yn mudlosgi.

'Dewi'r Dewin maen nhw'n fy ngalw i,' meddai. 'A beth maen nhw'n dy alw di, lanc?'

'Tomos Ap.'

'Tomos Ap pwy?'

'Neb, ges i fy mabwysiadu.'

'Mae gorffennol llawn dirgelwch o fantais i ddarpar ddewin. Dyw'r hud yn hoffi dim gwell na stori o'r fath. Mi fydd yn heidio atat ti fel gwenyn at neithdar.'

Dewisodd y dewin gyfrol swmpus o blith y llyfrau a'i lluchio i'r ffwrnais. Llosgodd yn ffyrnig gan ollwng mwg piws a choch.

'Mae'n amser peryg i fod yn ddewin yng Nghaerbontllan, fachgen,' meddai Dewi'r Dewin. 'Mae'r Orsedd yn sathru'n ddidostur ar unrhyw hud o fewn muriau'r ddinas. Maen nhw'n dweud bod rhywbeth anfad yn llechu yn y goedwig... '

'Cyrn-y-nos,' meddai Tomos.

'Paid â gadael iddyn nhw lenwi dy ben gyda'r fath lol,' gwawdiodd y dewin. 'Diflannodd Cyrn-y-nos tua'r un pryd â Dafydd y Dewin, os ydw i'n cofio'n iawn. Wele...'

Gydag ystum rwysgfawr tynnodd gynfas oddi ar un o'r byrddau, gan ddatgelu peiriant a edrychai fel pâr o gyrn carw wedi'u llunio o fetel rhydlyd.

'Fy nyfais i.'

'Beth yw e?' gofynnodd Tomos.

'Gwylia.' Taflodd Dewi ychydig mwy o lyfrau i mewn i'r ffwrnais. Llosgodd y tân yn ffyrnicach, a thaniodd llafn o olau glas rhwng cyrn y peiriant ac ymledu i bob cornel o'r ystafell.

'Rydw i'n ei alw fo'n trhudan!' meddai Dewi yn falch.

'Trydan?'

'Na, tr-*hud*-an! Os wyt ti'n mynd i fod yn brentis i mi bydd yn rhaid i ti ddysgu ynganu'r peth yn gywir. Mae carreg yn dargludo hud ond mae'n llawn tyllau, felly mae'n ei ollwng i bobman fel rhidyll. Ond mae metel yn sianelu hud o un lle i'r llall, heb golli dim ohono.'

Dechreuodd y llafn glas grynu a gwanhau wrth i'r tân hudol yn y ffwrnais bylu.

'Ond beth am yr Orsedd?' gofynnodd Tomos. 'Onid yw trhudan yn fath o... tr-*hud*?'

'Hon yw'r ddyfais sy'n mynd i argyhoeddi'r Orsedd ein bod ni'n gyfeillion iddynt, yn hytrach na gelynion. Cyn hir bydd trhudan ym mhob cartref yng Nghaerbontllan! A nawr bod gen i brentis, bydd y gwaith yn llawer haws.'

'Rwy wedi cael fy nerbyn, felly?' gofynnodd Tomos yn obeithiol.

'O, yn sicr,' meddai Dewi'n gyfeillgar. 'Rydw i wedi bod yn chwilio am rywun i fwydo fy ffwrnais ers hydoedd.'

Sleifiodd Ceredin yn llechwraidd drwy'r strydoedd pendramwnwgl, yn aros wrth bob cornel rhag ofn iddo weld derwydd neu filwr, neu wyneb cyfarwydd. Llithrodd o gysgod i gysgod nes dod at ddrws a chnocio'n betrus arno. Agorodd, a llenwodd dyn mawr, penfoel y bwlch.

'Alla i'ch helpu chi, fardd?' gofynnodd.

'Henffych, berchennog y tŷ. A yw Niahm, yr ynyswraig, yma?'

'Heb ei gweld hi ers wythnosau,' meddai'r dyn yn surbwch. 'Y tro diwetha glywais i amdani roedd hi wedi'i charcharu gan filwyr y Brenin Glyndŵr a'i gwerthu'n gaethferch i Orsedd y Derwyddon.'

Ebychodd Ceredin. 'O gwae!'

'Mae pethau wedi mynd o ddrwg i waeth ers wythnosau,' meddai'r dyn. 'Maen nhw wedi gwahardd gêmau cnapan a broch yng nghod o'r ddinas, ac yn llusgo'r gorau ohonom i'r celloedd ar yr esgus mwyaf tila.'

'Wyddost ti ble mae Niahm yn cael ei chadw?'

'Nid yw eto wedi cael ei derbyn fel rhan o'r Drefn a'i hebrwng i ynys sanctaidd Penrhyn y Gogledd, felly mae'n debyg ei bod hi'n dal i fod yng nghelloedd artaith y deml.'

Gwyliodd y dyn Ceredin yn gegrwth wrth iddo suddo ar ei liniau a chladdu ei ben yn ei ddwylo.

'Mae ei stafell hi'n rhydd os wyt ti ei heisiau hi.'

Taflwyd Dylan ac Angharad i'r llawr a'u gosod mewn cadwyni trymion. O'u blaen safai maen hir tal, hynafol, gyda mwsog yn tyfu ar bob clegyr ohono a'r cyfan wedi'i orchuddio gan gerfiadau – cylchoedd, llinellau syth, ac wynebau dynol syml.

Wrth droed y maen safai gorsedd garreg anferth, ac yn eistedd arni rywun mewn cwcwll gwyn.

'Beth yw'r creaduriaid hyn, Gwertherfyr ap Arthfael?' gofynnodd llais benyw.

'Ymarferwyr hud a lledrith, o hybarch Archdderwydd,' meddai'r derwydd mawr yn ddig. 'Mi wnaeth un ohonynt geisio dwyn enaid Cledwyn gyda'i garreg hud.'

'Pam fy mhoeni i?' gofynnodd yr Archdderwydd. 'Ydych chi am i mi benderfynu ar ddull o'u dienyddio? Crocbren neu goelcerth, neu eu boddi yn yr afon?'

'Archdderwydd, maen nhw'n honni dod o fyd arall, a b-b-bod yr Un Drwg wedi dychwelyd yma o'u blaen!'

Safodd yr Archdderwydd ar ei thraed a dadorchuddio'i hwyneb. Dynes ifanc dal, osgeiddig oedd hi, gyda gwallt du a llygaid oer. Syllodd ar y ddau yn ddidostur.

'Taflwch y bachgen i'r celloedd artaith!' meddai. 'Ond gadewch y ferch. Mi wnaf ei holi hi fy hun.'

'Diolch i'r Drefn,' adroddodd y derwydd gan foesymgrymu a llusgo Dylan oddi yno, cyn cau'r drws mawr pren yn glep ar ei ôl.

Camodd yr Archdderwydd tuag at Angharad.

'Yr Un Drwg, ie? Mi ddylwn i rwygo dy dafod o'th geg am grybwyll ei enw o fewn muriau'r dref hon. Mae o wedi dy yrru di, y gythraulferch, yn gennad iddo?'

'Wedi dod i'ch rhybuddio chi roedden ni,' poerodd Angharad yn flin.

'Beth petawn i'n gwybod yn barod?' Cuchiodd yr Archdderwydd arni. 'Fy ngreddf fenywaidd, efallai. Mae yna newid yn yr aer...'

'Mae wedi lladd un hen ddyn yn barod!'

'Wedi lladd *un*, wir!' meddai'r Archdderwydd yn grac. 'Yn

ei ddydd roedd Cyrn-y-nos yn codi llosgfynyddoedd ac yn boddi dinasoedd gydag un gair o'i enau.'

'Beth ry'ch chi'n mynd i wneud am y peth, 'te?'

Camodd yr Archdderwydd tuag at y maen hir, a rhedeg ei llaw ar ei hyd.

'Mae cynllun eisoes yn ei le ers canrifoedd,' meddai. 'Rydym yn Urdd sy'n credu mewn Trefn, wedi'r cwbl.'

Symudodd ei bys ar hyd patrymau'r maen, at lun syml o ddyn wedi'i gerfio ar y graig. Rhedai hollt drwy ganol y cwbl, fel petai rhywbeth wedi'i dynnu o berfedd y graig.

'Mae'r cynllun wedi'i gerfio yn y maen hwn er mwyn i'r cenedlaethau ei gofio,' meddai'r Archdderwydd. 'Nid chi yw'r cyntaf i groesi rhwng rhwystr y ddau fyd. Ydych chi'n gyfarwydd â'r un a elwir Iolo Morganwg?'

Cododd Angharad ei hysgwyddau, gweithred pur anodd o gofio ei bod mewn cadwyni trymion. 'Wnes i draethawd arno fe unwaith i 'nghwrs Safon A,' meddai. 'Rhamantydd oedd e a sylfaenydd Gorsedd y Beirdd yn ein byd ni. Sut ydych chi'n gwybod amdano?'

'Ychydig ganrifoedd yn ôl fe lwyddodd rhai derwyddon i groesi'n ôl drwy'r porthwll o'r Fabinogwlad, i weld a fyddai hi'n ddiogel i ni ddychwelyd a dianc rhag llid yr Un Drwg. Ond fe gawson nhw wlad o nos dragwyddol, a tharth myglyd du dros y cwbl. Doedd ffoi yn ôl i'r uffern honno ddim yn ddewis call, felly fe wnaethon nhw ystyried cynllun arall. Fe swynon nhw ddyn oedd ar ei deithiau, a dangos iddo'r byd hwn, a'i gyfarwyddo yn ein ffyrdd ni. Iolo Morganwg oedd y dyn hwnnw. Nid o'i ddychymyg y daeth ei greadigaeth. Daeth o fyd arall.'

Roedd y labordy'n ferwedig o boeth erbyn hyn a Tomos wedi tynnu ei glogyn a'i grys wrth iddo rofio'r pentyrrau o lyfrau llychlyd i geg y ffwrnais fflamgoch. Herciai Dewi'r Dewin o un droed i'r llall yn llawn cyffro wrth wylio'i ddyfais yn poeri ac yn clindarddach yn ffyrnig.

'Bron iawn yno! Mwy o lyfrau!' gwaeddodd, a'i wallt yn tonni fel gwymon gyda grym yr hud a dasgai o'r peiriant.

'Does dim mwy i'w llosgi,' gwaeddodd Tomos, gan daflu'r cyfrolau olaf i mewn i'r ffwrnais.

Gydag un ebychiad olaf taflodd y peiriant enfysau bach i bob cyfeiriad. Caledodd y rheiny fel iâ a disgyn i'r llawr yn ddiemwntau amryliw. Pylodd y golau o'r ddyfais trhudan wrth i'r ffwrnais dagu ar y llyfr olaf. O fewn ennyd roedd yr ystafell yn dawel, yn oer ac yn dywyll unwaith eto.

'Go drapia,' meddai Dewi. 'Lle rydw i'n mynd i gael mwy o lyfrau nawr, dywedwch?'

'Pam ry'ch chi'n eu llosgi nhw yn y lle cynta?' gofynnodd Tomos, gan ollwng ei raw yn flinedig.

'Am eu bod nhw'n llawn hud!' meddai Dewi. 'Gwnes i ddarganfod y rhan fwyaf mewn hen dyrau anghyfannedd. Yr hen swyngyfareddwr oedd pia nhw, a nawr maen nhw'n llwch. A phwy fyddai'n gallu eu darllen nhw heddiw, beth bynnag?'

'Ond mae rhai o'r swynion yn edrych yn eithaf da,' meddai Tomos, gan dynnu tudalen o'i boced. 'Afallon!' gorchmynnodd. Trodd un o'r darnau glo ar lawr yn afal.

Cododd Tomos yr afal a'i frathu.

'Paid â bwyta hwnna! Bydd yr hud yn gwywo yn y man a byddi di'n cachu brics.'

Gollyngodd Tomos yr afal.

'Bydd yn rhaid i mi ddechrau llosgi fy llyfrau i o'm dyddiau fel prentis, mae'n debyg. Does mo'u hangen nhw arna i mwyach, gan 'mod i wedi mynd y tu hwnt i hud y celaingodwyr.'

'Beth yw celaingodwyr?'

'Swynwyr sy'n codi'r marw'n fyw... mi fues i'n rhwym i'w hud nhw am gyfnod – prentisiaeth nad ydw i'n gwbl falch ohoni...'

Curodd rhywun ar y drws ffrynt. Ochneidiodd Dewi.

'Pwy alla hwnna fod? Llyfrgellydd, gobeithio!' Gwibiodd at y drws.

Edrychodd Tomos ar y dudalen roedd wedi'i hachub o'r tân. Roedd hen swynion wedi'u sgriblan dros bob modfedd o'r papur, a diagramau amrwd yn arddangos techneg rhai swynion oedd yn gofyn am fwy o ymroddiad corfforol. Dechreuodd amau nad drwy ddatrys hen bosau ar bapur y byddai'n bwrw ei brentisiaeth.

Daeth Dewi yn ôl drwy'r drws. 'Tafla bopeth i gefn y cart! Rydym wedi cael gwahoddiad i deml y Derwyddon.'

'Y deml? Pam?'

Clywodd Tomos glep taran yn y pellter.

'Mae yna storm ar y ffordd.'

Roedd yr awyr wedi duo uwchben y dref. Rhedodd y bobl i'w tai i osgoi'r storm annisgwyl, gan adael y cŵn ac anifeiliaid y farchnad i wylio'r wybren yn corddeddu fel pe bai'r duwiau yn ymgodymu uwch eu pennau. Yna disgynnodd y glaw a gwneud i lechi'r toeau ddawnsio. Yn yr harbwr corddai'r môr gan siglo'r cychod nes bod eu mastiau'n taro yn erbyn ei gilydd.

Safai'r Archdderwydd yn ystafell orseddol y deml yn gwylio'r rhyferthwy. Gwelodd fflach gyntaf y mellt yn taro'r bryniau yn y pellter.

'Mae'r Un Drwg eisiau i ni wybod ei fod yn ôl,' meddai. 'Ond bydd ei draha yn drech nag ef.'

Caeodd gaead y ffenest gan bylu sŵn y gwynt a'r glaw y

tu allan. Cerddodd tuag at ei gorsedd a chodi cwdyn lledr o'r fraich. Wrth iddi ei agor gwelodd Angharad bowdr gwyrdd o'i fewn.

'Pan ddaeth y derwyddon yma drwy'r porthwll o'ch byd chi yn y lle cyntaf, bron i ddwy fil o flynyddoedd yn ôl, roedden ni'n ffoi rhag erledigaeth,' meddai'r Archdderwydd. 'Meddiannodd y gelyn o Rufain ein tir a'n hanfon ar ddisberod. Oherwydd ein grym a'n dylanwad ar y bobl roedden nhw am ein difa ni i gyd.

'Fe guddion ni yma fel anifeiliaid yn y goedwig. Am fil o flynyddoedd roedden ni'n credu ein bod ni'n byw mewn byd o dryblith, hud a lledrith anystywallt. Ond yna daeth y Drefn – gyrrodd ei Hawen i'n hysbrydoli a dweud "Adeiladwch". Pan gyffyrddodd y cyntaf ohonom ni â'r union faen hwn fe'n goleuwyd.

'Erbyn hyn rydym ni'n deall bod hyd yn oed y goruwchnaturiol yn naturiol os ydych chi'n ei ddeall. Mae hud yn anhrefnus, ac mae'n arf i'n gelynion. Ond rydym ni wedi dod i ddeall bod modd rheoli hud.

'Roedd ein hynafiaid ni'n defnyddio cerrig syml i'r perwyl hwnnw. Fe ddaethon nhw i ddeall bod meini hirion yn atynnu ac yn gwasgaru hud a lledrith, fel anadl person. Pan ddeallon nhw hynny cawsant y syniad o gael gwared â'r hud o'r byd hwn yn gyfan gwbl.

'Y dasg a roddwyd i Iolo Morganwg dros ddwy ganrif yn ôl oedd creu gorsedd derwyddon unwaith eto yn eich byd chi. Y tu hwnt i'r holl wisgoedd a'r llafarganu roedd gan yr Orsedd un pwrpas cwbl ymarferol – codi cylchoedd o feini hirion ar hyd a lled eich gwlad. Pwrpas y meini hynny yw sugno'r hud o'n byd ni, drwy'r porthwll, ac i'ch byd chi – fel cannoedd o feginau.'

Edrychodd Angharad arni mewn penbleth. 'Ond pam byddech chi eisiau llyncu'r hud o'r byd hwn?'

'Caiff yr Un Drwg anhrefnus ei bŵer gan yr hud, ac yn eich byd chi, lle nad oes hud, mae o'n wan. Petai modd sugno'r hud i gyd o'r byd hwn i'ch byd chi sy'n llawn tarth a llwch, fe fydden ni'n ddiogel rhagddo am byth.'

'Ond dy'ch chi ddim wedi llwyddo – er gwaetha'r holl feini a godwyd gan Orsedd y Beirdd yn ein byd ni, does dim hud yno!'

'Mae yna rywfaint yn treiddio drwodd o dro i dro. Ond rwyt ti'n iawn, does dim digon i'r mwyafrif sylwi arno. Roedd ein cynllun ni'n fethiant. Ond bydd hynny'n newid heno!'

'Sut?'

'Un gair – trhudan!'

Hanner disgwyliai Tomos i'r cart fod yn ddyfais fecanyddol y byddai'n ei gyrru megis car gyda hud yn danwydd iddo i gyfeiriad y deml, gydag ambell i ffrwydrad digymell a diddorol o'r beipen egsôst. Doedd e ddim yn siŵr ai balch ynteu siomedig ydoedd pan welodd hen gart pren gyda dau asyn truenus a gwlyb yr olwg o'i flaen yn syllu'n anobeithiol arno.

Rhuglodd olwynion y cart dros goblau llithrig y strydoedd i gyfeiriad y deml. Roedd y strydoedd yn gwbl wag, ond wrth y porth blaen safai mintai o dderwyddon, eu barfau'n rhaeadrau soeglyd.

'Croeso, "ddewin",' meddai un ohonynt, gan boeri'r gair olaf o'i enau. 'Mae'r Archdderwydd wedi rhag-weld eich ymweliad, diolch i'r Drefn.'

'Dyw hynny ddim yn llawer o gamp o ystyried ei bod hi wedi galw amdana i,' atebodd Dewi yn hy. 'Agorwch y giât nawr fel bod modd i mi gychwyn arni cyn i'r storm drhudanol hon ddod i ben.'

'Gadewch eich arfau hudol fan hyn. Ni chânt eu caniatáu

o fewn muriau'r gaer,' meddai'r derwydd gan godi cwr y gorchudd ac edrych ar y peirianwaith.

'Mae eich Archdderwydd wedi fy ngalw i yma oherwydd fy medrusrwydd hudol – arbenigedd na allaf ei arddangos heb fy offer.'

Gwgodd y derwydd gwlyb ond gorchmynnodd i'r drysau trymion gael eu hagor led y pen. Trotiodd y ddau asyn drwyddynt i'r iard fawr o flaen y brif deml. Roedd rhesi o seddi o boptu iddi, fel terasau mewn stadiwm pêl-droed. Yn y canol safai hen faen ar ogwydd gyda thwll ynddo, a chadwyn yn ddolen am y twll.

'Y Maen Tramgwydd,' sibrydodd Dewi yng nghlust Tomos wrth bwyntio at yr olion crafu ar wyneb y maen. 'Fan hyn maen nhw'n arteithio ac yn lladd swynwyr fel ti a fi.'

Gwingodd Tomos wrth iddo syllu ar y staeniau coch wrth droed y maen.

Ymgasglodd y derwyddon o boptu'r cart a'i hebrwng ar hyd yr iard a thrwy bâr arall o ddrysau trymion yn y pen pellaf. Tu hwnt i'r rhain roedd iard lai, yr un mor llwm, gydag un goeden unig yn ei chanol a glaw yn diferu oddi ar ei dail.

'Nid ydw i erioed wedi treiddio mor bell i mewn i'r deml o'r blaen,' sibrydodd Dewi'n gyffrous wrth Tomos. Galwodd ar un o'r derwyddon. 'Roeddwn i'n credu nad oeddech chi'n caniatáu planhigion o fewn waliau'r deml?'

'Coeden afalau o Ynys Sanctaidd y Gogledd yw hon,' meddai'r derwydd. 'Meithrinwyd y coed hyn gan ddwylo gofalus dros gannoedd o flynyddoedd. Saif hon yma fel esiampl o sut mae modd rhoi trefn ar hyd yn oed y tyfiant mwyaf ffiaidd, gydag amser.'

Gwelodd Tomos fod un derwydd truenus o wlyb yn eistedd gyferbyn â'r goeden, yn ei gwylio'n ofalus gan rwbio'r dŵr o'i lygaid. Roedd ganddo fwyell yn ei law.

'Bydd yn rhaid i chi ddadlwytho'ch peiriannau fan hyn,' meddai un o'r derwyddon oedd yn arwain y cart. 'Mi awn ni â chi drwy'r llyfrgell ac at y Maen Hir.'

Neidiodd Tomos oddi ar gefn y cart a dechrau dadlwytho'r peiriannau oddi arno.

'Wnewch chi roi help llaw i mi i gario rhai o'r rhain?' gofynnodd i un o'r derwyddon.

Gafaelodd hwnnw'n betrusgar yn y darnau metel rhyfedd, fel dyn yn codi taflegryn oedd ar danio. Fe garion nhw'r dyfeisiadau i mewn i'r deml.

O'u blaenau, ymestynnai llyfrgell enfawr o dan nenfwd bwaog uchel a gwelodd Tomos nifer o gilfachau tywyll llawn llyfrau yn agor o'r prif atriwm. Ond roedd pob llyfr y tu ôl i fariau trwm.

'Pam maen nhw i gyd dan glo?' gofynnodd Tomos. 'Am eu bod nhw'n hudol?'

'Am eu bod nhw'n cynnwys gwybodaeth, wedi'i hysgrifennu yn wyddor Ogam y derwyddon, sy'n fwy peryglus na hud yn y dwylo anghywir,' eglurodd Dewi. 'Fe'i gelwir yn llyfr*gell* am reswm da. Ond mi fyddan nhw'n iawn fel tanwydd, os cei di afael ar un neu ddau.'

Arweiniwyd nhw o'r llyfrgell, i lawr coridor hir, ac i mewn i siambr y Maen Hir.

Roedd y gell yn oer a diflas a doedd dim i'w wneud ond cyfri'r diferion a ddisgynnai o'r to. Nid dyna'r tro cyntaf i Dylan fod mewn cell – dyna'r tro hwnnw y galwodd o blisman yng Nghaerdydd yn 'cont' a hwnnw heb ddeall sut roedd pobl y Gogledd yn cyfarch ei gilydd.

Roedd wedi bod yn y gell hon ers dwy awr o leiaf. Gallai glywed ambell garcharor arall yn griddfan mewn celloedd cyfagos ond yr unig gwmni oedd ganddo, hyd y gwelai, oedd bwndel o garpiau yn y gornel.

'Henffych,' meddai'r bwndel, ac estyn llaw i Dylan.

'Ti'n iawn, boi,' meddai Dylan, cyn sylwi mai dim ond ambell fys oedd ar y llaw. '*Wyt* ti'n iawn?'

'Rwy'n dioddef o'r gwahanglwyf.'

'O,' meddai Dylan, gan sychu ei law ar ei drowsus. 'Dyma pam wyt ti yma, ia?'

'Wel, a dweud y gwir gwnes i ddwyn afal, ond doedden nhw ddim yn medru meddwl am gosb, felly maen nhw wedi fy nghadw i yma. Fel arfer, y gosb am ddwyn afal yw torri llaw ymaith, ond mae fy llaw i'n disgyn i ffwrdd fesul ychydig beth bynnag, ha-ha-ha-ha-h...'

Gwenodd Dylan, a symud yn araf bach i ben arall y gell.

'Wedyn fe ddywedon nhw y byddai'n syniad da fy nghadw i yma, fel nad oes rhaid iddyn nhw dorri dwylo 'run o'r carcharorion eraill i ffwrdd chwaith! Ha-ha-ha-ha-ha!'

Ar y gair llusgwyd drws y gell ar agor ar ei golfachau gwichlyd a thaflwyd bwndel budr arall i mewn i'r gell wrth ochr Dylan.

'Grêt, mwy o blincin *lepers*.'

Cododd y bwndel ar ei eistedd, a thynnu'r cadach oddi ar ei ben.

'Ceredin? Beth wyt ti'n neud yma?'

'Dylan! Ges i 'nal yn sleifio o amgylch y deml. Gwaetha'r modd, mae fy llun i ar bosteri ym mhobman.'

'Pam roeddet ti yn y deml?'

'Chwilio am 'y nghariad, Niahm, oeddwn i. Dywedon nhw ei bod hi wedi cael ei charcharu gan y derwyddon.'

Symudodd y bwndel yn y gornel. 'Roedd yna ferch yma wythnos yn ôl o'r enw hwnnw, un o Ynys Werdd y Gorllewin.'

'Ie, dyna ni! Beth ddigwyddodd iddi hi?'

'Roedd hi'n fyw ac yn iach – yn ôl fy safonau i, beth bynnag, ond fe gafodd hi ei gwerthu fel caethferch i luoedd Mordecai, Arglwydd Tiroedd y De.'

'Damia! Felly, rydw i yn y carchar anghywir, ac yn mynd i golli 'ngheillia.' Edrychodd o'i amgylch. 'Hyd yn oed yng nghelloedd Brenin y Gogledd roedd yna dŷ bach. Petai fy nhelyn gen i...'

'Mae gen i bib os wyt ti isio,' meddai'r dyn gwahanglwyfus, gan estyn yr offeryn o'i boced.

'Diolch,' meddai Ceredin gan sychu ceg yr offeryn ar ei diwnig a chwythu nodyn.

Llusgodd Tomos a Dewi rai o ddarnau'r ddyfais yn araf drwy'r porth mawr ac i mewn i siambr y Maen Hir. Caewyd y drysau ar eu hôl.

'Henffych, Archdderwydd,' meddai Dewi. 'Wedi blynyddoedd o elyniaeth rydym ni'n cydweithredu'n gytûn.'

'Yr unig reswm wnes i ddim dy hel di o 'ma gyda gweddill y dewiniaid oedd dy fod ti mor anobeithiol, Dewi ap Serwyl,' meddai'r Archdderwydd. 'Ac os na fydd dy ddyfais newydd yn plesio bydda i'n dy grogi fel y caiff y cigfrain wledd.'

Sylwodd Tomos yn sydyn ar Angharad yn eistedd ar lawr mewn cadwyni, ond rhoddodd hi ei bys ar ei gwefus, yn arwydd iddo gau ei geg.

'Na phoener!' meddai Dewi, gan chwysu chwartiau. 'Dyma'r storm roeddech chi wedi'i rhag-weld, ac fe ddylai fod yn ddigon pwerus. Ydych chi'n sicr bod y maen hwn yn gysylltiad rhwng y ddau fyd?'

'Yn gwbl sicr!' meddai'r Archdderwydd. 'Ar eu taith i'r byd tu draw fe wnaeth y derwyddon ddarganfod carreg yn union yr un fath â hon, yn yr union le, gyda'r union hollt drwyddi. Mae'n amlwg mai hwn yw'r maen y tynnodd Arthur ei gleddyf, Caledfwlch, ohono, a thrwy wneud hynny creodd y rhwyg hudol rhwng y ddau fyd. Fe ddylai unrhyw hud sy'n cael ei sianelu drwy'r maen hwn gael ei ryddhau drwy'r maen yn y byd arall. Cysylltwch y ddyfais!'

Cododd y derwyddon mawr y ddyfais a dilyn gorchmynion Dewi i'w chlymu ar ben y Maen Hir. Codai polyn uchel ohoni at y to.

'Beth yw hwnna?' gofynnodd Angharad.

'Polyn i atynnu'r trhudan yn y storm,' meddai Dewi. 'Bydd y lledrithfellt yn saethu i lawr y polyn, ac yn symud drwy'r Maen Hir.'

'Yna cânt eu gwasgaru yn y byd arall,' meddai'r Archdderwydd. 'Neges gan yr Un Drwg yw'r storm, i'n rhybuddio ni ei fod yn ôl. Ond mi fyddwn ni'n defnyddio'r storm yn ei erbyn. Agorwch y nenfwd!'

Symudodd peirianwaith yn rhywle ac agorodd hollt yn nenfwd yr ystafell. Chwipiodd y glaw drwy'r agoriad.

'Nawr y cwbl y mae'n rhaid i ni wneud yw disgwyl am fell...'

Gyda chlec fyddarol rhwygodd mellten y düwch uwch eu pennau a tharo'r polyn. Rhedodd yr hud drwyddo a thasgodd gwreichion amryliw allan o bob mân dwll yn y graig.

'Blydi hel!' meddai Tomos a chamu'n ôl.

Daeth mellten arall, ac un arall eto, ac un arall, fel pe baent yn fflangellu'r maen.

'Mae o'n meddwl ei fod yn taro'r deml!' meddai'r Archdderwydd dan chwerthin yn wyllt.

Cropiodd Tomos tuag at Angharad a bloeddio yn ei chlust.

'Angharad! Wyt ti'n iawn?'

'Tomos, mae'n rhaid i ti wneud rhywbeth. Mi fydd hi'n difetha'r ddau fyd.'

'Beth?'

'Mae'r holl hud 'na'n symud i'n byd ni! Maen nhw'n ceisio hala Cyrn-y-nos yn ôl i'n byd ni drwy anfon yr holl hud i Gymru.'

Edrychodd Tomos dros ei ysgwydd ar gyrn y peiriant, oedd wedi dechrau crynu a chwysu dafnau o fetel hydawdd dros y Maen Hir. 'Be alla i neud?'

'Defnyddio dy gryman!' gwaeddodd Angharad. 'Torra'r ddyfais yn deilchion.'

Edrychodd Tomos dros ei ysgwydd unwaith eto. Doedd hwn ddim yn syniad deniadol iawn. Ond gwyddai fod Angharad yn gwgu'n gas arno, felly penderfynodd wynebu'r mellt.

Cododd ar ei draed yn simsan a chamu'n betrusgar i gyfeiriad y ddyfais gan gysgodi ei lygaid yn erbyn y pelydrau ffyrnig a dasgai ohoni. Pan ddaeth saib rhwng y mellt rhedodd nerth ei draed am y ddyfais a'i waldio â'r cryman gyda'i holl nerth. Holltodd y cyrn yn ei wyneb a disgynnodd y polyn i'r llawr fel pe bai'n llewygu. Taflwyd Tomos ar draws yr ystafell gan nerth yr hud.

Distawodd y twrw, heblaw am sŵn y glaw yn pitran ar lawr. Roedd y storm yn gostegu. Agorodd y lleill eu llygaid a syllu'n syfrdan ar y ddyfais.

'Beth wyt ti wedi'i wneud?' gofynnodd yr Archdderwydd. 'Fydd digon o'r hud a lledrith wedi mynd drwyddo?'

'Na fydd!' meddai Dewi. 'Dim hanner digon.'

'Rwyt ti wedi'n melltithio ni i gyd, y dewin dwl!'

'Nid dewin dwl yw e,' meddai Angharad, 'ond olynydd i'r Dewin Dafydd, a drechodd Gyrn-y-nos a'i alltudio o'r Fabinogwlad flynyddoedd yn ôl. Dyma'i gryman hud!'

Cydiodd yr Archdderwydd yn y cryman a'i archwilio. 'Os felly, yna mae'r cyfrifoldeb arnat ti, fachgen. Rwyt ti wedi'n rhoi ni i gyd mewn perygl, a'th dynged di fydd trechu'r Un Drwg yn y frwydr olaf.'

'Ac fe gei di anghofio bod yn brentis i mi, y diawl bach!' meddai Dewi. 'Mi gymerodd fisoedd i mi adeiladu'r peiriant yna!'

Gorweddai Dylan ar wely o wair yng nghornel y gell a'i fysedd yn ei glustiau.

'Ceredin, rwyt ti'n delynor gwych, ond dwyt ti ddim cweit wedi meistroli'r bib 'na eto,' meddai.

'Sut wyt ti'n meddwl y llwyddais i feistroli'r delyn?' gofynnodd Ceredin. 'Misoedd mewn carchar heb ddim oll i'w wneud.'

Tynnodd y gwahanglwyf ei fysedd o'i glustiau.

'Fy unig gysur,' meddai, 'yw y bydd fy nghlustiau i wedi disgyn i ffwrdd cyn bo hir.'

Llusgwyd y drws mawr pren ar agor unwaith eto a chamodd un o'r derwyddon trwyddo. Llygadodd y tri yn ddrwgdybus a thynnu sgrôl o'i wregys.

'Newyddion o lys yr Archdderwydd!' cyhoeddodd.

'Ydy o'n newyddion drwg 'ta da?' gofynnodd Ceredin.

'Mae'n newydd drwg a da.'

''Dan ni i gyd yn rhydd, 'blaw am y gwahanglwyf?' gofynnodd Dylan.

'Na, byddai hynny'n newyddion da a da. Mae yna newyddion drwg.' Agorodd y sgrôl. 'Rydych chi i gyd yn cael eich gollwng yn rhydd... i ymuno â Byddin yr Orsedd. Bydd eich gefynnau'n cael eu llacio, ond byddwch chi'n siŵr o farw mewn modd erchyll ar faes y gad.'

Edrychodd Dylan a Ceredin ar ei gilydd, ac yna ar y gwahanglwyf.

'Fydd gynnot ti ddim bysadd i chwara'r bib 'na os arhoswn ni fan hyn yn hirach,' meddai Dylan.

'Rydym yn derbyn!' meddai Ceredin.

Arweiniwyd y ddau allan i iard flaen y deml, i ymuno â'r carcharorion eraill a oedd wedi dewis brwydro. Roeddent i gyd wedi ymffurfio'n rhesi, fel y gallai'r derwyddon eu harchwilio. Roedd oglau'r glaw yn dal yn drwm yn yr awyr.

'Hei, mae Tomos ac Angharad draw fan'na,' meddai Dylan, wrth weld y ddau'n sefyll ym mhen pella'r iard. 'Tomos!'

'Yn ymuno â'r fyddin eto, Dylan?' gofynnodd Tomos iddo.

'Ia, ond dwi'n sobor tro yma!' meddai Dylan.

Pwniodd Angharad un o'r derwyddon cyfagos. 'Gadewch y ddau yna'n rhydd, maen nhw'n ffrindiau personol i ni.'

Tynnodd y derwydd allwedd o'i boced a datod y gefynnau am eu traed a'u dwylo.

'Sut gwnaethost ti hynna?' gofynnodd Ceredin.

'Mae'r Archdderwydd a fi'n ffrindie mawr erbyn hyn,' meddai Angharad. 'Dangoses iddi sut i wneud ei gwallt a sut i ddefnyddio *make-up*.'

Ar y gair, ymddangosodd yr Archdderwydd o geg y deml, a chamu i ben maen i annerch y dorf.

'Dderwyddon a derwyddesau, diolch i'r Drefn, mae gen i hysbysiad erchyll ond hirddisgwyliedig,' meddai. 'Mae'r Un Drwg, Cyrn-y-nos, wedi dychwelyd. Er lles gwareiddiad, does dim dewis ond cyhoeddi rhyfel yn ei erbyn.'

Bloeddiodd y dyrfa eu cefnogaeth – pobl y ddinas a oedd wedi ymgasglu o amgylch y porth. Cododd dau o'r derwyddon gleddyf anferth, a hwnnw'n dal yn ei wain, a'i osod gerbron yr Archdderwydd. Gafaelodd hithau yn y carn a'i dynnu hanner ffordd allan o'r wain.

'Y ni yn erbyn y gelyn! A oes rhyfel?' gofynnodd.

'Rhyfel!' bloeddiodd y dorf.

'Gwaed am waed! A oes rhyfel?'

'Rhyfel!'

'Llygad am lygad! A oes rhyfel?'

'Rhyfel!'

Tynnodd y cleddyf anferth yn gyfan gwbl o'i wain y tro hwn, a'i chwifio o amgylch ei phen. Plygodd rhai o'r derwyddon talaf i'w osgoi.

'Rhyfel!' bloeddiodd yn hanner gorffwyll i gymeradwyaeth y dorf.

'Dyna'r tro olaf dwi'n mynd ar gyfyl tŷ bach yn fy myw,' meddai Angharad wrth sychu'r baw oddi ar ei dillad. 'Mi fyddai'n well gen i ddal am byth.'

'Dwyt ti ddim yn meddwl y dylan ni aros, Tom?' gofynnodd Dylan wrth iddyn nhw ddringo yn ôl i fyny'r bryn i gyfeiriad y porthwll. 'Ni wnaeth ddechra'r rhyfel wedi'r cyfan.'

'Rhoi gwybod iddyn nhw fod Cyrn-y-nos yn ôl, dyna ddywedodd Dad,' meddai Tomos. 'Mi allan nhw wneud y gweddill eu hunain.'

'Ia, ond fe fydden nhw wedi cael gwared arno bellach, heblaw amdanat ti.'

Cyrhaeddodd y pedwar y cylch o feini ar ben y bryn ac anelodd Tomos ei gryman i gyfeiriad y porthwll.

'Agor,' meddai. Agorodd y porthwll – ond, yn hytrach na'r ystafell fyw gynnes, glyd yn y pen arall, fe welson nhw donnau coch yn dawnsio o'u blaen.

'Mae'n edrych yn wahanol!' meddai Dylan.

'A' i drwodd gyntaf,' meddai Tomos, 'i wneud yn siŵr 'yn bod ni'n mynd 'nôl i'r un byd.'

'Faint o blincin fydoedd eraill sy 'na?' gofynnodd Dylan.

Wrth i Tomos blygu ei ben a chamu drwy'r porthwll teimlai wres mawr yn cau amdano. Gwaeddodd mewn poen a stampio'i draed i ddiffodd y fflamau. Roedd rhywun wedi cynnau tân.

'Cau,' meddai llais cras.

Diflannodd y porthwll. Trodd Tomos ei ben. Yn eistedd ar gadair ynghanol yr ystafell fyw gyda llyfr yn ei gôl roedd hen ddyn cyfarwydd.

'Archdderwydd?'

'Arthur,' meddai dan wenu. 'Henffych, Tomos Ap.'

MORDECAI, ARGLWYDD Y DE

'Ro'n i'n gwerthfawrogi eich sioe tân gwyllt,' meddai Arthur. 'Cawod o frogaod yn Llambed, goleuadau rhyfedd dros fynyddoedd y Berwyn...'

'Dim ni wnath,' meddai Tomos. 'Y derwyddon oedd yn treial sugno'r holl hud o'r Fabinogwlad i'r byd hwn.'

'Felly mae'r derwyddon yn dal yno.' Gosododd Arthur y llyfr roedd yn ei ddarllen ar fraich y gadair. 'Mae'n ddiddorol eu bod nhw'n dal i geisio ymyrryd â'r byd hwn, wedi iddyn nhw ddianc fel cŵn bach pan ddaeth y Rhufeiniaid. Roedden nhw'n gwybod bod dydd eu credoau paganaidd ar ben, felly mi wnaethon nhw ffoi drwy'r porthwll.'

Agorodd Tomos ei geg i ofyn cwestiwn, ond roedd Arthur wedi bachu arno cyn iddo adael ei dafod.

'Sut ydw i'n gwybod am y porthwll? Mae'r porthwll yma ers cyn cof y Celtiaid.' Cydiodd yn y llyfr unwaith eto a'i ddangos i Tomos. 'Roedd y derwyddon wedi'i selio i rwystro'r hud rhag lledu i Gymru. Ond fe wnaethon ni, yn ein chwilfrydedd, ei agor. Wyt ti wedi darllen chwedlau'r Mabinogi? Dyna ganlyniad agor y porthwll. Gwlad hud a lledrith oedd Cymru bryd hynny, ond nid mwyach. Doedd dim diben rhyfela yn erbyn erchyllterau'r isymwybod pan oedd gelynion go iawn i ymgodymu â nhw. Mi wnes i siarsio Dafydd y Dewin i selio'r porthwll a'i warchod, er lles y genedl.

Dychymyg a breuddwydion y genedl ydyw'r byd tu hwnt i'r porthwll, ein breuddwydion a'n hunllefau ein hunain, ein gobaith a'n barbareiddiwch.'

'Faint o hud gafodd 'i ryddhau?'

Chwyrnodd Arthur. 'Dyma fy niwrnod cyntaf fel Prif Weinidog Cymru a bu'n rhaid i mi esbonio yn fyw ar y BBC ychydig oriau yn ôl sut y bu i deulu o dwristiaid weld afanc anferth yn codi o Lyn Ffynnon Las – a thraflyncu eu mab.'

Edrychodd Tomos yn syfrdan arno.

'Prif Weinidog?'

'Dyw hi ddim yn arbennig o anodd i ddyn gyda rhywfaint o asgwrn cefn godi i'r brig mewn senedd mor wan,' meddai Arthur. 'O na fyddai rhai o areithwyr gwych fy nghyfnod yn dal yn fyw heddiw.'

'Ond do's 'na ddim etholiad am dair blynedd arall!'

'Ffurfiais i glymblaid gyda phlaid arall, a threchu'r cyn brif weinidog mewn pleidlais o ddiffyg hyder. Bu'n rhaid iddo ymddiswyddo ac mi gymerais innau'r awenau… a lleng o warchodwyr.'

Daeth dau filwr mewn cuddliw yn cario reifflau i mewn.

'Taflwch ef yn ôl drwy'r porthwll.'

Gafaelodd y milwyr ym mreichiau Tomos.

'Hei! Pam?' meddai gan strancio'n ffyrnig.

'Na phoener, Tomos,' meddai Arthur. 'Cyn bo hir bydd y Fabinogwlad hefyd yn gyfan gwbl o dan fy rheolaeth wâr i – wedi i ti gwblhau dy ran yn y chwedl wrth ladd Cyrn-y-nos. Alli di ddychmygu'r holl adnoddau sydd yno, heb eu cyffwrdd gan ddwylo dyn? Byd i'w ddatblygu heb boeni am holl gyfreithiau'r wlad hon, heb lobïwyr yn cwyno am newid hinsawdd, heb orfod cael,' – poerodd y gair allan, 'can-ia-tâd cynllunio! Dywed wrthyn nhw, Tomos, dywed wrthyn nhw fod Arthur yn ôl!'

Taflwyd Tomos drwy'r porthwll gan ddwylo cryfion a glaniodd ar ei wyneb yn y llaid yr ochr draw. Roedd y tri arall yn dal i eistedd yno'n disgwyl amdano.

'Gymerest ti dy amser,' meddai Angharad. 'Rwy'n marw eisie bath.'

Roedd hi'n nosi ac yn bwrw glaw eto erbyn i Tomos guro drachefn ar ddrws coch Dewi'r Dewin. Llifai'r dŵr yn rhaeadrau o doeau tai Caerbontllan a chodi drewdod afiach o'r cwteri. Agorodd cil y drws.

'O, chi sy 'na.' Roedd rhyddhad yn y llais. 'Ro'n i'n meddwl bod y derwyddon wedi dod i dalu'r pwyth yn ôl i mi. Wel, waeth i chi ddod i mewn o'r glaw 'na ddim.'

Brysiodd y pedwar ohonynt i mewn. 'Y'ch chi'n cuddio 'to?' gofynnodd Tomos.

'Na, ro'n i yn y bath pan wnaethoch chi gnocio,' meddai llais Dewi. 'Dwi'n anweledig am nad ydw i'n gwybod lle mae fy nhywel i.'

Dilynon nhw'r llais drwy'r tŷ ac i mewn i'r labordy yn y cefn.

'Mae'r lle hyn yn fes,' meddai Angharad gan edrych o gwmpas y darnau o beirianwaith trhudan ym mhobman.

'Dylet ti fod wedi gweld y lle cyn i ni losgi'r holl lyfre,' meddai Tomos.

'Dwi wedi bod yn pacio,' meddai Dewi, pan ailymddangosodd yn ei glogyn wrth eu hymyl. 'Dyw e'n gwneud dim synnwyr i mi aros yng Nghaerbontllan mwyach.'

'Mae'n ddrwg 'da fi,' meddai Tomos.

'Hidia befo,' meddai Dewi. 'Mae fan hyn yn lle gwirion i ddewin weithio beth bynnag. Mi af i rywle sy'n rhannu fy ngweledigaeth am drhudan.'

'Y'ch chi wedi penderfynu i ble?' gofynnodd Angharad.

'Naill ai i diroedd Brenin y Gogledd, y Tiroedd Coll, neu i lawr i dir yr Arglwydd Mordecai, dewin nerthol sy'n trigo yn y De. Fe sydd wedi noddi peth wmbreth o'm hymchwil, felly fe wn i y bydd croeso i mi yn fan 'no.'

'Fyddai ots 'da chi petaen ni'n aros fan hyn heno?' gofynnodd Tomos. 'Do's gyda ni unman arall i fynd.'

'Cewch siŵr, mae'r ystafell wely i fyny grisiau'n ddigon mawr i bump. Ac os ydych chi eisiau gwneud tân mae 'na rai hen lyfrau anhudol yn dal ar hyd y lle 'ma.'

Dringodd y pedwar ohonyn nhw i fyny'r hen risiau bregus. Hen flanced dyllog dros swp o wair ar y llawr oedd y gwely.

Ymhen hanner awr daeth Dewi i fyny drwy'r tywyllwch a lledorwedd wrth eu hymyl. Dechreuodd rochian yn swnllyd a mwmian swynion yn ei gwsg.

'Gobeithio na fydd e'n rhoi'r flanced ar dân gydag un o'r swynion 'na,' meddai Angharad, wrth dynnu darnau o wair o'i gwallt. 'Tomos, dwi jest yn moyn mynd gartre, i Gaerdydd. Ry'n ni'n styc fan hyn, ac yn rhannu gwelyau cymunedol gydag anwariaid. Allet ti ddim jest rhostio'r milwyr yn Pen-y-bryn gyda dy hudlath?'

'Bydd eisie mwy o gymorth arnon ni os y'n ni am drechu Arthur,' meddai Tomos.

'Dwi'm yn meddwl ei fod o'n syniad da ymyrryd ymhellach,' sibrydodd Dylan. ''Dan ni wedi cychwyn un rhyfel yn barod! Gad iddyn nhw gwffio'n erbyn ei gilydd.'

Trodd Ceredin ar ei ochr a syllu arnyn nhw, â'i lygaid yn sgleinio'n welw yn y tywyllwch. 'Allwch chi ddim gadael nawr,' meddai'n gysglyd. 'Rydych chi wedi'ch dewis.'

'Gan bwy?'

'Tynged. Y Drefn. Beth bynnag ydych chi'n ei alw fo, rydych chi'n rhan o'r chwedl.'

'Ond beth fydd diwedd y chwedl?'

'Wn i ddim,' meddai Ceredin. 'Buddugoliaeth, trasiedi, cariad – dyna elfennau pwysig pob chwedl. Ond ym mha fesur, alla i'm gweld.'

'Ond dyw'r derwyddon ddim am ein helpu ni i rwystro Arthur,' meddai Tomos. 'Maen nhw'n hollol wallgo.'

'Mae Brenin y Gogledd yn swnio'n addawol,' meddai Dylan.

'Ti jest yn *biased* tuag at y Gogledd,' meddai Angharad. 'Yn bersonol, sai'n moyn crwydro am fisoedd dros fynyddoedd gyda llwyth o Gofis canoloesol yn ymosod arna i. Be wyt ti'n feddwl, Ceredin?'

Oedodd hwnnw cyn ateb fel pe bai'n pwyso a mesur ei eiriau'n ofalus.

'Fe awn ni at Arglwydd y De,' meddai o'r diwedd. 'Mi fydd yn siŵr o'n cynorthwyo ni yn erbyn Arthur.'

Wrth weld golau'r wawr yn ffres a gwritgoch drwy ffenest yr ystafell, cododd Tomos i gyffro sŵn y stryd gul tu allan a honno eisoes yn gorlifo gyda masnachwyr, ffermwyr a theithwyr. Edrychai'r bobl a lifai fan hyn a fan draw o dan y ffenest fel llygod mewn drysfa, ond roedd pob un yn gwybod ei ffordd, a phob un yn gobeithio gwneud arian ar draul y lleill.

'Mae'n ddiwrnod a hanner o daith i diroedd Arglwydd y De, ar hyd y Lôn Goedwig tuag at Foth y Byd,' meddai Dewi'r Dewin wedi i bawb godi. 'Mi wna i'ch hebrwng chi â chroeso – dy'ch chi ddim trymach na'r cocos yng nghefn y cart – a doeddwn i ddim yn edrych ymlaen at wneud y daith ar fy mhen fy hun. Ond mae'n ffordd hir a pheryglus, ac wn i ddim sut groeso a gawn ni ar ôl cyrraedd pen y daith!'

Bu'n rhaid iddynt guddio'u hwynebau wrth iddynt

ymadael drwy borth y ddinas, a mynd heibio i'r llif o filwyr a darpar filwyr oedd yn gobeithio ymuno yn y rhyfel am ddarn arian o gronfa'r derwyddon.

Wrth iddynt deithio i ganol y wlad roedd awel y bore'n ffres ac yn fain fel gwydr miniog a theimlai Tomos, ac yn arbennig Angharad, mor falch o gael gadael drewdod Caerbontllan y tu ôl iddynt.

Cyn hir gadawson nhw'r lluoedd a deithiai i'r Dwyrain i ryfela yn erbyn Cyrn-y-nos a throi tuag at y De, i ganol coedwig ddudew oedd yn cau o'u hamgylch, heibio i'r groesffordd lle safai tafarn y Beddrod Anllad wrth Fynwent y Gweilch.

'Awn ni mewn am beint, ia?' gofynnodd Dylan.

'Rwy'n tybio na fydd fawr o groeso i mi,' meddai Ceredin yn drist. 'A dyna'r unig dafarn yn y Fabinogwlad na chefais fy nhaflu allan ohoni gerfydd fy nghlust.'

Fe aeth yr asynnod ymlaen ar hyd y llwybr, a sŵn eu carnau mewn cytgord. Wrth iddynt deithio ymhellach gwaethygodd cyflwr y lôn, a chaeodd y goedwig gyntefig dros eu pennau gan rwystro pob llygedyn o olau. Cyneuodd Dewi lusern a'i chlymu wrth ben blaen y cart.

'Does 'na ddim lôn well na hon?' gofynnodd Dylan wrth i frigyn arall roi slaes iddo ar draws ei wyneb. 'Ro'n i'n meddwl bod y lonydd yng Nghymru'n ddigon drwg.'

'Does gennym ni ddim dewis ond mynd drwy'r goedwig – mae heol yr arfordir yn mynd â ni'n rhy agos i Gaerfyrddin,' atebodd Dewi.

'Caerfyrddin! Tref yn ein byd ni yw honno,' meddai Angharad. 'Mae Mam yn dod o Gaerfyrddin.'

'Mae Caerfyrddin yn bodoli rhwng y ddau fyd, dinas hud a lledrith dan reolaeth y swyngyfareddwr Myrddin. Gwae unrhyw ddewin sy'n mynd ar gyfyl y lle!'

'Dyw e ddim i'w weld yn lle hudolus iawn i fi.'

'Mae caer awyr Myrddin a'i fwgyn forfilod yn anweledig i'r rhan fwyaf ohonoch chi feidrolion,' eglurodd Dewi. 'Ond gall dewiniaid weld pethau tu hwnt i len y cyffredin. Pwy a ŵyr faint o hanner ddewiniaid a gwrachod sy'n bodoli ymysg poblogaeth y dref?'

'O'n i'n meddwl bod dy fam di, Angharad, bach yn *weird*,' meddai Dylan.

'Mae hi'n athro daeareg!' meddai Angharad. 'Sôn am hynny, fe ddywedodd yr Archdderwydd iddyn nhw geisio mynd drwy'r porthwll yn nhŷ tad Tomos yn y ddeunawfed ganrif ond eu bod nhw wedi troi 'nôl wedi iddyn nhw weld bod y lle dan gwmwl du.'

'Be sy wnelo hynny â dy fam?'

'Wel, pan o'n i'n sgrifennu traethawd am Iolo Morganwg yn y chweched gwnes i grybwyll wrth Mam ei fod e wedi bod yn ffarmwr yn 1780au ond wedi colli'i arian a rhoi'r gorau iddi. Dywedodd Mam wrtha i fod llosgfynydd Laki yng Ngwlad yr Iâ wedi ffrwydro yn 1783 gan orchuddio Prydain dan gwmwl du am fisoedd, a dinistrio'r holl gnydau. Roedd pobol yn meddwl bod y byd yn dod i ben. Dyna welodd y derwyddon, mae'n siŵr, ac ar ôl hynny fe aeth Iolo i Lundain a ffurfio Gorsedd y Beirdd.'

'Sgwn i oedd 'da Cyrn-y-nos rwbeth i'w wneud â'r peth?' gofynnodd Tomos. Trodd at Dewi. 'Ydy hi'n saff i ni deithio drwy'r goedwig fel hyn, nawr bod Cyrn-y-nos yn ôl 'ma?'

'Wn i ddim. Fy ngobaith ydy na fydd o wedi cael digon o amser i hel ei greaduriaid at ei gilydd. Dal ein gwynt nes ein bod ni'n cyrraedd fydd hi,' meddai Dewi. 'Ond fe anghofiais i – mae beirdd yn gallu gweld y dyfodol, wrth gwrs, Ceredin. Onid oedd Myrddin ei hun yn fardd i ddechrau?' gofynnodd yn bryfoclyd. 'Tyrd, beth sy o'n blaenau ni dros y bryn draw fan draw?'

'Yr unig weledigaeth sydd gen i yw y byddi di'n siŵr dduw o gael swadan cyn diwedd y daith,' atebodd Ceredin yn swta.

'Ydych chi'n gallu gweld y dyfodol, go iawn?' gofynnodd Angharad.

'Na, dydyn ni ddim yn gallu gweld y dyfodol, ond rydym yn cofio'r gorffennol drwy ein cerddi a'n halawon, a drosglwyddwyd o genhedlaeth i genhedlaeth. Sydd yr un peth â gweld y dyfodol, yn y bôn. Fel y dywedais i, mae chwedlau yn bethau sy'n troi mewn cylchoedd.'

Wrth i'r daith barhau fe aeth Ceredin i eistedd yn y cefn gyda'i goesau'n hongian dros yr ochr ac yntau'n canu ei delyn.

'Mae 'da ti'r un fath o delyn ag oedd gan y newyddiadurfardd yna yn y dref,' meddai Angharad.

'Oes, newyddiadurfardd oeddwn innau tan yn ddiweddar,' meddai Ceredin. 'Yn amser fy nghyndeidiau, byddai'r newyddiadurfardd yn cyfansoddi barddoniaeth i ddathlu arwriaeth y rhyfelwyr ar faes y frwydr.' Rhedodd ei fysedd ar hyd ei delyn. 'Fe wnaeth fy nghyndeidiau drosglwyddo eu crefft i mi. A heb os nac oni bai, myfi oedd un o'r newyddiadurfeirdd gorau ers oes Taliesin.'

'Pam rhoist ti'r gorau iddi felly?'

'Yn yr oes a fu, byddai'r arwyr yn llefaru araith ar faes y frwydr, cyn mynd i ymuno â'u tadau yn llys Annwfn, y Gaer Feddwi. Ac fe fydden ni'r newyddiadurfeirdd yn cofnodi'r frwydr fel bod eu teuluoedd yn gallu cofio eu haberth dewr am ganrifoedd wedyn. Ond nid yw felly mwyach. Erbyn hyn bydd yr arwyr yn gyrru eu hareithiau at y newyddiadurfardd y noson cyn y frwydr, ar ddarn o bapur, fel nad ydyn nhw'n gorfod dysgu'r geiriau a'u hadrodd cyn trengi! Does dim o nwyd yr eiliad farwol mwyach – dim ond adroddiad sych.'

'Pam fod y delyn yn edrych fel bwa?'

'Mae bywyd newyddiadurfardd yn gallu bod yn beryglus. Nid pawb sy'n gwerthfawrogi ein gwasanaeth. Felly mae modd defnyddio'r delyn fwa fel bwa saeth, mewn sefyllfa anodd.'

Torrodd Dylan ar ei draws.

'Dach chi'n clywed hynna?'

Tawodd pawb a gwrando'n astud. Ymchwyddai cerddoriaeth fywiog a byrlymus o'r coed o'u hamgylch.

'Mae'n dod o'r ddwy ochor,' meddai Tomos.

'Mae cenawon y goedwig yn chwarae gyda thi, Ceredin,' galwodd Dewi o'r tu blaen. 'Nid wyf wedi clywed eu cerddoriaeth ers i mi grwydro i'r goedwig yn blentyn.'

'Beth ydyn nhw?' gofynnodd Angharad.

'Adleisiau'r goedwig,' sibrydodd Ceredin.

Newidiodd Ceredin y gerddoriaeth a ganai ar y delyn, ac fe newidiodd cerddoriaeth y goedwig i'w ddynwared.

Clywodd Tomos bob math o offerynnau yn cael eu chwarae o'u hamgylch, rhai cyfarwydd ac anghyfarwydd, rhai chwyth a rhai llinynnol. Syllodd yn ddyfal i mewn i'r coed ond ni allai weld dim byd yno.

'Peidiwch â phoeni,' meddai Dewi. 'Dim ond ein pryfocio ni maen nhw. Chlywais i erioed sôn amdanyn nhw'n gwneud niwed i neb.'

Yn raddol âi'r goedwig o boptu iddynt yn fwy trwchus ac yn fwy hynafol yr olwg. Bob hyn a hyn roedd yn rhaid iddyn nhw adael y cart i godi hen foncyff oedd wedi disgyn ar draws y llwybr.

'Pwy greodd y llwybrau hyn?' gofynnodd Angharad.

'Hen lwybrau rhyfel ydyn nhw,' meddai Dewi. 'Mae Brenin y Gogledd ac Arglwydd y De'n rhyfela o hyd, ac yn defnyddio'r llwybrau hyn i symud eu byddinoedd o le i le.

Mae'r coed wedi dysgu nad oes pwrpas gollwng eu had fan hyn, gan y bydd y glasbrennau'n cael eu gwasgu dan draed.'

Bob hyn a hyn agorai'r goedwig o'u blaen a deuai pentref bach i'r golwg. Syllai wynebau dieithr arnynt drwy ffenestri tywyll.

Gwyddai Ceredin enwau'r holl bentrefi er bod pob un ohonynt yn edrych yr un fath. Galwai'u henwau'n uchel wrth deithio drwy Fryncyn Banw, Panwaun Poncyn, Hebog Fry, Cnepyn Mawnog, Talwrn Chwilog, a Derlwyn Cythraul. Daethon nhw o'r diwedd at bentref lle roedd rhyw fath o ddathliad yn mynd rhagddo.

'Beth sy'n digwydd fan hyn?' gofynnodd Dewi wrth weld y baneri lliwgar yn igamogamu rhwng y toeau.

'Eisteddfod Melfochyn-ar-Arth,' meddai bachgen. 'Rydym ni ar fin dyfarnu'r wobr.'

Arhoson nhw yno i gael tamaid i'w fwyta a gwylio'r gystadleuaeth. Nodiai Ceredin ei gymeradwyaeth o dro i dro a gwgu bryd arall wrth i'r beirdd gystadlu am y gadair.

'Mae Briacat ap Pasgen yn siŵr o ennill,' meddai. 'Roedd yr hen Ithel Gam yn fardd o fri yn ei gyfnod, ond dydi o ddim yn gallu clywed taran heb sôn am gynghanedd erbyn hyn...'

Amneidiodd Tomos, heb wir ddeall dim oedd yn digwydd. Ond bu bron iddo ddisgyn oddi ar gefn y cart pan sylwodd fod gan bob un o'r beirdd a gystadlai gnaf bach corniog a milain yr olwg ar ei ysgwydd. Roedd rhai'n ddigon bach i ffitio mewn poced, ac eraill mor fawr nes bod eu cynffonnau fforchog, hir yn cordeddu o amgylch gyddfau'r beirdd. O bryd i'w gilydd byddent yn dechrau ffraeo a brathu ei gilydd.

'Wyt ti'n gweld rheina, Dylan?' gofynnodd, gan bwnio'i ffrind.

'Gweld beth?' gofynnodd hwnnw, a'i geg yn llawn o fara jam.

Sylwodd un o'r gweilch bach ar Tomos yn syllu arnynt. 'Fi yw'r cythraul cystadlu,' meddai'r creadur bach mingam. 'Rydw i'n teithio o eisteddfod i eisteddfod ar hyd y fro.'

'Naci, fi ydy'r cythraul cystadlu,' meddai un o'r lleill, gan neidio o ben ei fardd ef i ben y bardd arall yn ddigon hir i waldio'r cythraul cyntaf dros ei ben. 'Mae hwn yn fy nilyn i i bobman.'

Gadawyd iddyn nhw cyn i'r ffrwgwd waethygu ac fe gychwynnodd y fintai yn ei hôl unwaith eto i ganol dryswch tywyll y goedwig.

Gorffwyson nhw mewn llannerch ynghanol y goedwig y noson honno a chysgu ar lawr, a'r un hen flanced drostyn nhw â'r noson cynt ond heb ddim o dan eu tinau ond pridd caled y ddaear. Gwaetha'r modd, doedd tylwyth y goedwig ddim mor barod i gysgu, a pharhaodd y gerddoriaeth tan oriau mân y bore.

'Maen nhw'n fwy swnllyd na rhochian hwn,' meddai Dylan gan gyfeirio at Dewi.

'Ti'n meddwl y dyle un ohonon ni ofyn iddyn nhw fod yn dawel?' sibrydodd Tomos.

'Caewch eich tina!' bloeddiodd Dylan. 'Mae 'na bobl yn trio cysgu fa'ma.'

Daeth y gerddoriaeth i ben ar unwaith, gan adael sŵn un tant yn crynu'n llawn arswyd.

'Wps,' meddai Dylan. 'Ti'm yn meddwl 'mod i wedi'u pechu nhw?'

Torrwyd ar draws y tawelwch gan sŵn chwerthin a chlindarddach o'r coed o'u hamgylch.

'Falle'u bod nhw'n dy hoffi di,' meddai Angharad.

Llyncodd Dylan ei boer. Yr ennyd honno ymddangosodd rhywbeth o'r goedwig. Roedd yn fawr ac yn olau, fel pryf tân, a hedfanodd o ganol y coed tuag at Dylan.

'Shw!' meddai yntau, gan geisio taro'r creadur gyda'i droed.

Gafaelodd y dylwythen deg yng nghornel y flanced a dechrau'i llusgo allan o'r llannerch. Gafaelodd Dylan yn y pen arall ond roedd y creadur yn rhy gryf. Diflannodd y flanced i mewn i'r goedwig. Chwarddodd y creaduriaid unwaith eto.

'Da iawn ti, Dylan,' meddai Tomos yn goeglyd.

Yna ymddangosodd haid o'r creaduriaid ac er gwaethaf eu hymdrechion i ddilyn y flanced, tynnwyd y cart cyfan, gan gynnwys yr asynnod, a'r rheiny'n nadu'n orffwyll.

Deffrodd Dewi a chodi ar ei eistedd. 'Pwy ddiawl sydd wedi bachu'r gwrthban?' gofynnodd. 'Mae'n hudlath i'n rhewi'n fan'ma.'

Edrychodd Dylan i gyfeiriad y llwybr. 'O na, mae 'na un arall yn dod!'

I lawr y llwybr daeth golau mwy o lawer tuag atynt, yn hofran lai na throedfedd o'r llawr.

'Mae hi ar ben arnat ti,' meddai Tomos.

Brathodd Dylan ei wefus.

'Pwy sy'n cadw sŵn?' gofynnodd y golau. Daeth yn agosach, a gwelson nhw nad tylwythen deg mohono ond dyn bychan iawn â llusern yn ei law. 'Pwy sydd allan yr adeg yma o'r nos?'

'Teithwyr ar ein ffordd i diroedd yr Arglwydd Mordecai yn y De,' meddai Dewi, gan rwbio'i lygaid. 'A phwy ydych chi?'

'Nadd fab Rhath, o brif chwarel Penglais,' meddai'r dyn byr. Roedd ei groen yn dywyll fel huddygl, ac roedd ganddo bicas dros ei ysgwydd.

'Un o Gantref Glofa ydych chi!' meddai Dewi. 'Anaml y byddwch chi'n cerdded ar hyd wyneb y tir.'

'Anaml yn wir, oni bai fod rhai'n cadw twrw,' meddai Nadd fab Rhath.

'Ydyn ni'n agos i Gantref Glofa felly?'

'Agos? Rydych chi'n eistedd uwchben llys tanddaearol ein Bach-hydi'r funud yma! Fe welaf fod y tylwyth teg wedi dwyn eich blanced chi, felly byddai'n well pe bawn yn cynnig lle i chi aros.'

Arweiniodd y corrach hwy i lawr y llwybr hyd nes y daethant at ogof fawr yn y graig. Plygon nhw yn eu cwrcwd a mynd i mewn drwy geg yr ogof, gan ddilyn coesau bach Nadd wrth iddo gerdded yn fân ac yn fuan drwy'r twnnel. Doedd dim sŵn ond atsain lleisiau yn y dyfnderoedd a thincial afonydd tanddaearol. 'Mae llefydd bach yn codi ofn arna fi,' meddai Dylan, ond fe'i gwthiwyd ymlaen o'r tu ôl.

'Gwyliwch eich pennau,' meddai Nadd. 'D'yn nhw ddim yn galw'n prifddinas ni'n "Penglais" heb reswm, nag ydyn wir.'

'Sut mae pethau yn y byd o dan draed?' gofynnodd Dewi wrth iddyn nhw fynd yn eu blaen. 'Dwi'n clywed bod rhyw anghydfod rhwng eich Arglwydd chi ac Arglwydd Cantref Clawdd.'

'Oes! A dim ond un wythïen o lo sydd i'n gwahanu ni. Pwy a ŵyr beth ddaw pan dorrith y gwahanfur hwnnw? Mae pethau'n reit wyn arnom ni, a dweud y gwir – dwi wedi hanner meddwl gadael er mwyn agor chwarel lechi ym Mynyddoedd y Gogledd.'

Hebryngodd nhw at ystafell a oedd ychydig yn fwy na'r lleill, lle roedd yn bosib iddynt ymsythu. Yn y canol, ar orseddfainc wedi'i naddu o garreg lefn ddu, eisteddai corrach brenhinol yr olwg.

'A, Nadd, wyt ti wedi darganfod beth oedd y twrw 'na? O!' Gwelodd y lleill yn ei ddilyn i mewn i'r ystafell. 'Wel, dyma gynulliad o bobl ddieithr!'

Diosgodd Dewi ei het a moesymgrymu. 'Danglwydd!

Teithwyr o Gaerbontllan ydyn ni, dau ddewin, bardd a dau o'r werin bobl.'

'Dewiniaid!' ebychodd y Tanglwydd. 'Mae dod â dewiniaid o dan ddaear fel tanio matsien wedi gwledd o ffa.'

'Mi fyddwn ni'n ofalus iawn felly,' meddai Dewi. 'Teithio rydym ni tuag at gaer Mordecai yn Nhiroedd y De.'

'Mordecai? Un cyfrwys yw ef, a dewin pwerus erbyn hyn. Roeddem yn gyfeillion ar un cyfnod, cyn iddo ein halltudio o'i diroedd. Fe adeiladon ni dŵr ysblennydd iddo, wedi'i gerfio o asgwrn y mynydd. Ond mae wedi troi at wasanaeth y Celaingodwyr – mae'n well ganddo weision gwan y gall eu gormesu na phobl abl sy'n mwynhau eu gwaith.'

Canai aderyn bach mewn caets yn y cornel.

'Defnyddio hwn i wynto nwy y'ch chi?' gofynnodd Tomos.

'Na, datgelu hud yw ei bwrpas ef,' meddai'r Tanglwydd. 'Mae'r hud yn dew i lawr yn y graig yna, a gall dychymyg bywiog achosi pob math o ffwdan. Dyna pam nad ydyn ni'n gadael i'r plant fynd i lawr yno nes byddan nhw'n hŷn – mae dychymyg plentyn fel ffwrnais mewn man tywyll a phwy a ŵyr pa fath o greaduriaid y gallen nhw eu consurio allan o ddim. Ond dychymyg syml sydd gan aderyn; wnaiff e ddim consurio dim mwy nag ambell lygoden neu gath. Pan fyddi di'n gweld un o'r rheiny mae'n bryd i ti ddiflannu.'

'Mi wnes i ddarganfod yr estroniaid yn y llannerch uwch ein pennau,' meddai Nadd, 'eu blanced a'u cart wedi'u herwgipio gan y tylwyth teg.'

'Cewch aros yma â chroeso!' meddai Tanglwydd y corachod. 'A phan fyddwch wedi cael digon o gwsg fe wnawn ni eich anfon i diroedd Mordecai ar gart llawer cyflymach nag un wedi'i dynnu gan asyn!'

Llechfaen oedd y gwelyau, ac roeddent yn rhy fyr i'w

coesau, ond o leiaf roedd gan bawb ei wely ei hun. Syrthiodd Tomos i gysgu wrth wrando ar Dewi'n ceisio'i orau glas i argyhoeddi Tanglwydd Cantref Glofa mai trhudan oedd dyfodol mwyngloddio.

'Mae'n amhosib!' meddai'r Tanglwydd, a'i lais yn atseinio ar hyd y coridorau. 'Mae hud yn rhy ddwys o dan y ddaear, ac fe all un ddamwain ddinistrio'r chwarel gyfan!'

'Allwch chi ddim dychmygu'r peth?' gofynnodd Dewi'n groch. 'Fe allai'r chwarel redeg ei hun heb i chi orfod codi caib. Tydach chi'n greaduriaid ystyfnig a diddychymyg.'

'Ydyn, rydyn ni'n ddiddychymyg a dyna pam ein bod ni'n fwyngloddwyr penigamp. Dyw meddwl y corrach ddim yn crwydro o'i waith, a does dim byd mwy peryg lle mae'r hud yn ddwys na dychymyg toreithiog!'

'Ydy hi'n fora?' gofynnodd Dylan wrth deimlo rhywun yn ei ysgwyd.

'Pwy a ŵyr,' atebodd Tomos. 'Ond ma pawb arall ar ddihun ers amser. Coda'r diawl diog.'

Wrth godi, trawodd Dylan ei ben ar y to.

''Dan ni'n dal ym Mhenglais,' atgoffodd ei hun wrth rwbio'r briw.

'Ewch chi ddim i dir Mordecai ar droed,' meddai'r Tanglwydd wrthynt wedyn. 'Mae ei diroedd wedi'u gwarchod gan bob math o greaduriaid aflan. Ac os ceisiwch chi sleifio drwy'r mynyddoedd byddwch chi'n fwyd i Lob Sgows.'

'Lob Sgows?'

'Ie, Lob Sgows, y Ddraig Drogen. Creadur digon erchyll o'r Tiroedd Coll tu hwnt i'r wlad hon. Mae hi wedi llarpio mwy nag un o'n criw aeth i grwydro'n ddiofal wrth chwilio am byllau glo'r Arglwydd Du.'

'Sut awn ni yno felly, Danglwydd?' gofynnodd Dewi.

'Bydd gwibgerti Cantref Glofa yn sicrhau eich bod chi'n cyrraedd pen eich taith ar fyrder,' meddai Nadd fab Rhath.

Aeth â nhw i lawr ymhellach drwy'r chwareli i ogof lle safai nifer o gerti dur ar gledrau a droellai i dywyllwch twnnel gerllaw.

'Llenwi'r ceirt gyda glo fyddwn ni fel arfer ond mae modd eu defnyddio i gludo pobl o le i le,' meddai Nadd yn falch.

Dringodd Tomos i mewn i'r gwibgart cyntaf a phenlinio yn ei gwrcwd.

'Gwyliwch eich pennau!' meddai'r corrach, a gwthio'r cart o'r tu ôl. 'Ew, rydych chi, bobl yr wyneb, yn drwm.' Gollyngodd ei afael yn y cart ac fe lithrodd ymlaen yn llyfn ac yn araf ar ei ben ei hun.

'Dyw hyn ddim yn ffôl,' meddai Tomos wrtho'i hun gan blygu ei ben wrth i'r cart fynd i mewn i geg y twnnel.

Ond yna teimlodd y cart yn gwibio'n gyflymach ar hyd y cledrau. Aeth yn ddu bitsh a'r cwbl y gallai ei synhwyro oedd ysgwyd cynhyrfus y cart a'r awel gynnes yn ei wallt. Daeth i'w feddwl nad oedd wedi gofyn i'r corrach sut y gallai ei stopio wrth iddo wibio ar ffo drwy'r chwarel.

Yna teimlodd awel oer yn anwesu ei wyneb a sylwodd ei fod mewn ceudwll anferth. Cododd ei ben yn ochelgar a gweld clogwyn serth o'i flaen, a llusernau'r corachod yn frith fel sêr drosto. Gallai glywed eu côr yn atseinio drwy'r siafft enfawr fel un llais wrth iddynt gydweithio.

'Calon ddu yn llawn o ynni, tecach yw na darn o lo...'

Yna gwibiodd y cart yn ôl drwy un o'r twneli bach myglyd. Wedi amser maith dechreuodd arafu ac yna trawodd yn galed yn erbyn rhywbeth a stopio'n stond gan luchio Tomos yn bendramwnwgl yn ei flaen.

Agorodd ei lygaid a gweld, er syndod iddo, ei fod allan yn yr awyr agored. Ond roedd y cyfan yn aneglur ac yn dywyll o'i amgylch, a'r haul yn llewyrch egwan y tu ôl i len o fwrllwch tew.

'Pwy yw e?' gofynnodd llais yn ei ymyl.

'Mae'n ddigon brwnt i fod yn lo, ond nid glo mohono!' meddai llais arall.

Trodd Tomos a gweld dau wyneb gwelw'n syllu i lawr arno. Nid corachod mohonynt y tro hwn, ond dau ddyn esgyrnog mewn carpiau ac yn gwisgo hetiau ar eu pennau. Roedd yn anodd dweud ai oed ynteu llafur caled oedd yn gyfrifol am eu crwyn garw.

'Mae 'mhen i'n troi,' meddai Tomos wrth ddringo'n sigledig o'r cart. 'Lle ydw i?'

'Afon Ddu,' meddai un ohonynt. 'Pob parch i chi, doeddwn i ddim yn disgwyl gweld cart yn dod lawr o Gantref Glofa. Dy'n nhw ddim wedi hala cart glo ffor' hyn ers pan o'n i'n grwt.'

'A chart gyda llanc ifanc golygus ynddo!' meddai'r llall gyda gwên. 'Bydd y merched 'co ar ben 'u digon.'

'Idwal ydw i, gyda llaw,' meddai'r cyntaf, gan estyn llaw fain i Tomos ei hysgwyd.

Edrychodd Tomos ar yr anghyfanedd-dra o'i gwmpas. Gallai weld pentref drwy'r tarth, a phobl mewn carpiau yn ymlwybro o fan i fan. Roedd y cyfan, hyd y gallai ef weld, wedi'i adeiladu ar bentwr o sorod.

'Pwll glo yw hwn?' gofynnodd.

'Na, mae'r pwll yn bellach lan ar ochor y mynydd,' meddai Idwal gan besychu'n groch. 'Ar ein ffordd yno roedden ni nawr.'

Clywodd Tomos sgrech aflafar a saethodd cart arall ar hyd y cledrau o geg y mynydd. Trawodd yn erbyn ei gart ef a stopio'n stond. Cododd pen Angharad ohono, a'i gwallt euraid yn stribedi du.

'Menyw tro hyn!' meddai Idwal, gan amneidio ar ei ffrind. 'Gwell byth.'

Fuon nhw fawr o dro yn gweld pam mai 'Afon Ddu' oedd enw'r pentref. Roedd wedi'i adeiladu ar lif du gludiog a redai o ben y cwm i lawr i'w waelod. Thyfai ddim byd ar y tir moel ond ambell chwynnyn lluddedig.

Wedi oriau o gerdded drwy'r llaid a hwnnw'n sugno'u traed gyda phob cam, daethon nhw i waelod y cwm. Cliriodd y mwrllwch rywfaint o'u blaen ac ar yr olwg gyntaf credai Tomos iddo weld coedwig yn y pellter. Ond wrth iddynt nesáu gwelodd nad boncyffion oeddynt ond cannoedd o simneiau yn chwydu mwg du i'r awyr o gytiau isel, llwyd.

'Mae'r lle yma'n afiach,' meddai Angharad gan dagu. 'Wn i ddim sut maen nhw'n gallu smoco ac anadlu'r holl lwch 'ma.'

'Isio llenwi'u hysgyfaint efo rhywbeth glanach, mae'n rhaid!' meddai Dylan.

'Edrychwch ar yr holl ffatrïoedd!' meddai Dewi, a'i lygaid yn disgleirio. 'Pob un yn rhedeg ar bŵer ager. Pob un yn brysur yn gwneud arfau i ryfeloedd Mordecai. Dim rhyfedd bod gan yr Arglwydd Mordecai ddiddordeb mewn trhudan. Mae o a minna o'r un anian, dwi'n siŵr.'

Croeson nhw'r tir moel tuag at y ffatrïoedd. Roedd yr adeiladau brics llwyd yn ymestyn am filltiroedd, a rhyngddynt gwelent weithwyr llwm a threuliedig yr olwg yn prysuro fel morgrug.

'Esgusodwch fi?' gofynnodd Tomos i un ohonynt. 'Y'ch chi'n gwbod ble mae caer Mordecai?'

Dechreuodd y dyn chwerthin yn gras a pheswch bob yn ail, fel pa na bai wedi clywed jôc cystal ers blynyddoedd.

'Dishgwl lan, gyfaill.'

Cododd Tomos ei olygon tua'r awyr a gweld rhywbeth fel rhaeadr o inc du yn llifo o'r cwmwl aflan uwchben – yr adeilad anferthaf a welsai erioed.

'Y cwbl wedi'i naddu o asgwrn y mynydd!' meddai Dewi. 'Yn union fel y dywedodd y corachod.'

Rhaid bod y mynydd yn un enfawr, meddyliodd Tomos. Roedd y graig y naddwyd y gaer ohoni yn dywyll a llyfn, a phigyn uchel y tŵr yn bytheirio tân a mwg fel y ffatrïoedd o'i amgylch.

'Be y'n ni'n mynd i' neud nawr?' gofynnodd.

'Mae gen i swigod ofnadwy ar 'y nhraed,' meddai Dylan gan dynnu'i esgidiau a'i hosanau i archwilio'r pothelli llidus. 'Mae'n filltir arall o leia.'

'Wel, cawn ni orffwys ein traed ar ôl cyrraedd,' meddai Dewi. 'Dwi'n siŵr y cawn ni groeso cynnes a llond ein bolia cyn iddi fachlud.'

Teimlent lygaid yn eu gwylio wrth iddynt gerdded tuag at y gaer. Nid llygaid blinedig gweithwyr y ffatri yn unig, meddyliodd Tomos, ond roedd fel pe bai ffenestri du'r gaer ei hun yn eu gwylio, yn llawn malais.

Roedd y drysau blaen bum gwaith yn uwch na'i daldra ef ac er iddynt guro'n swnllyd gwelai Tomos yn syth na fyddai unrhyw sŵn yn treiddio drwy'r drysau trwchus.

'Defnyddia dy hudlath,' meddai Dewi. 'Mae gan hudlath dewin rywfaint o awdurdod ym mhob cwr o'r byd.'

Tynnodd Tomos ei gryman oddi ar ei gefn a churo'n ysgafn. Ddigwyddodd dim byd. Ochneidiodd Dewi a gafael yn ei hudlath fetel ef a'i waldio'n ffyrnig yn erbyn y drws.

Doedd dim ateb am ychydig eiliadau – ond yna agorodd y drysau mawr yn araf gan riddfan yn rhydlyd a phoenus. Doedd dim i'w weld tu hwnt ond tywyllwch dudew.

Yna, drwy dywyllwch y porth ymlusgodd rhywbeth a

edrychai, ar yr olwg gyntaf, yn debyg i garped ar gerdded. Ni allai Tomos weld wyneb, ond roedd lwmp ar ben y cyfan yn awgrymu bod un yno'n rhywle.

Daeth llais main ac oer o'r carped. 'Pwy sy'n curo ar ddrws Tŵr y Penglog?'

'Dau ddewin, un bardd, a'n... ffrindie,' meddai Tomos, yn anesmwyth wrth glywed y llais rhyfedd. 'Ydy'r Brenin Mordecai i mewn?'

'Gaiff o ddod allan i chwarae?' gofynnodd Dylan gan ddynwared llais plentyn. Pwniodd Angharad ef yn ei fraich.

Sisialodd y carped fel neidr. 'Mae'r Arglwydd Mordecai mewn hwyliau drwg, fel arfer. Beth ydych chi eisiau ganddo?'

'Isie ei rybuddio roedden ni, am fygythiad ofnadwy a ddaw o fyd arall,' meddai Tomos.

'A gofyn am fwy o nawdd i'm prosiect trhudan,' meddai Dewi. Tynnodd hen ddarn o bapur o'i boced a'i ysgwyd lle roedd wyneb y creadur yn debygol o fod. 'Dyma'r llythyr anfonodd ataf yn wreiddiol.'

Chwyrnodd y creadur yn ddilornus. 'Rydw i'n gweld yn well nag unrhyw ddyn, ddewin. Dilynwch fi,' meddai. Trodd ar ei sawdl a llithro'n ôl i'r tywyllwch.

'Ychydig gamau eto,' meddai Angharad yn biwis. 'Ac yna croeso cynnes. Dyna ddywedest ti, ife?'

'Wyddwn i ddim am yr holl risiau,' atebodd Dewi, a'r chwys yn gymysg â'r baw ar ei wyneb.

'D-does 'na'm lifft?' gofynnodd Dylan gan anadlu'n ddwfn. 'Dwi erioed wedi cerddad gymaint yn 'y mywyd.'

'Fa-falle d-dylet ti gynnig creu l-lifft trhudanol i Mordecai, Dewi,' meddai Tomos.

Troellai'r grisiau'n serth i fyny tuag at gopa'r tŵr. Doedd

dim ffenestri i oleuo'u siwrnai, dim ond ambell ffagl dân mewn cilfach yn y wal. Wrth iddynt esgyn y grisiau cawson nhw gip ar goridorau tywyll lle'r atseiniai sgrechiadau a rhochiadau annynol, ac ym mhob tro yn y grisiau gweld gŵr y carped yn diflannu wrth iddo lithro i fyny o'u blaen.

'Allen ni'm defnyddio'n hud i gyrraedd y brig?' gofynnodd Tomos i Dewi, wrth i hwnnw gamu'n llafurus o'i flaen.

'Mae'n ddigywilydd iawn defnyddio hud yng nghaer dewin arall, heb gael dy wahodd i wneud hynny,' meddai yntau, yn brwydro am anadl. 'Beth bynnag, nid dyrchafiad yw maes fy arbenigedd. Fe losgais i'r llyfr hwnnw flynyddoedd yn ôl.'

'Be ydy'r blydi peth yna?' gofynnodd Dylan wrth i'r darn o garped ddiflannu o'u golwg unwaith eto. 'Mae gynno fo lais fel *surround sound*, yn dod o bob cyfeiriad, ia?'

'Un o'r Celaingodwyr ydyw,' meddai Dewi'n ddifrifol. 'Mae yna rai sy'n credu bod modd ymestyn synhwyrau'r cnawd drwy aberthu'r cnawd hwnnw.'

'Hynny yw, gweld ymhellach drwy dorri'r llygaid allan, neu feddu ar lais hudol drwy dorri'r tafod,' meddai Ceredin.

'Ych a fi!' meddai Angharad.

'Mi fydd rhai'n cuddio eu camffurfiad a smalio bod yn wahanglwyfus, ond mae rhai eraill yn hysbysebu eu galwedigaeth yn fwy agored.'

O'r diwedd cyrhaeddon nhw gyntedd eang a gweld yr un creadur yn disgwyl amdanynt o flaen dau ddrws enfawr.

'Dyma neuadd fawr Mordecai, yr Unben Mall o Dŵr y Penglog,' meddai. 'Byddwch yn ochelgar a gofalus, oherwydd nid yw'n dangos trugaredd wrth neb.'

Daeth llaw i'r golwg o'r carped a gafael yn un o ddolenni'r drws. Ond prin roedd wedi cyffwrdd ynddi pan agorodd y drysau led y pen.

O'u blaen, yn eistedd ar orseddfainc o gerflunwaith

arswydus, roedd cawr o ddyn mewn arfwisg o'i ben i'w sawdl. Roedd miswrn yn cuddio'i wyneb. Gwisgai goron gordeddog ar ei ben.

'Beth wyt ti ei eisiau nawr, Llysnafedd?' gofynnodd mewn taran o lais a hwnnw'n ysgwyd y tŵr.

Ymgrymodd y creadur mor isel nes ei fod yn edrych fel mat ar lawr.

'Gwesteion i'ch diddanu chi, o Arglwydd Mordecai, yn eich holl ddidrugaredd. Dau newyddian o ddewin a'u mintai o ynfydion.'

Amneidiodd Mordecai arnynt a dyma'r pump yn camu'n betrus tuag ato rhwng y calchbyst a ymwthiai o'r llawr a hongian o'r to. Ar un wal roedd drych, ei wyneb yn crynu'n aflonydd fel pwll o ddŵr.

'Pam yr ydych chi'n dod yma i'm poeni i?' gofynnodd Mordecai. 'Fe ddylwn i'ch taflu chi i'r llydnod y funud yma.'

'O hybarch Mordecai,' meddai Dewi gan foesymgrymu'n llaes. 'Myfi yw Dewi'r Dewin, eich gwas parod. Fe fûm yn gwneud gwaith ymchwil ar eich rhan chi yng Nghaerbontllan, gan fwriadu datblygu'r math o hud a elwir yn "Trhudan".'

'Rydw i'n gwybod am dy ymchwil, y bwbach digywilydd. Wnes i ddim rhoi caniatâd i ti roi'r gorau i'r ymchwil a theithio yma.'

'Arglwydd, mae pethau wedi mynd o ddrwg i waeth i ddewiniaid yng Nghaerbontllan. Mae'r derwyddon yno'n casáu hud ac yn arteithio unrhyw un sy'n ymhél ag ef o fewn muriau'r ddinas.'

'A wnaethost ti grybwyll fy Enw i o'u blaen?'

'Do yn wir, ond a dweud y gwir plaen doedden nhw ddim yn credu eich bod chi'n fygythiad iddyn nhw.'

Cododd Mordecai ar ei draed. 'Ddim yn fygythiad?' cyfarthodd. 'Mae'n ymddangos bod angen dysgu gwers i'r ffyliaid, cyn iddynt dyfu'n rhy drahaus. Mae'n amlwg eu bod wedi mynd i gredu eu bod nhw'n anorchfygol, wrth i mi ganolbwyntio fy ymdrechion ar ddinistrio Brenin y Gogledd.'

Estynnodd grafanc sbigog i gyfeiriad Dewi.

'O'r gorau. Yn y cyfamser, fe gei di ystafell yn fy nhŵr, ddewin. Rydw i am i ti gofnodi pob peth yr wyt ti wedi'i ddarganfod am drhudan, a chyflwyno dy adroddiad i mi ben bore yfory.'

'Bore fôr...!' Petrusodd Dewi wrth weld dwylo'r Brenin yn cau'n ddyrnau. 'Diolch, eich Mawrhydi.'

Edrychodd Mordecai ar y gweddill ohonyn nhw. 'Wel? Ai dyna'r unig fusnes? A gaf i daflu'r gweddill o'r cŵn hyn i'm trogen oddfog gigysol?'

'Rydw i hefyd wedi dod i ofyn am eich cymorth, ym... Arglwydd,' meddai Tomos.

'Nid ydw i'n rhoi cymorth, y llipryn,' meddai. 'Yr unig gymorth rydw i am ei roi i ti yw ystyried peidio chwarae cnapan gyda dy bledren.'

'Rhybudd, felly,' meddai Tomos. 'Rydym ni'n tri – myfi, Dylan ac Angharad – yn dod o fyd y tu hwnt i hwn. Mae byddin yn ymgasglu yn y byd hwnnw, yn barod i geisio gorchfygu'r tiroedd hyn a diorseddu eu harweinwyr.'

'Ni all yr un fyddin drechu grym Mordecai,' meddai'r unben mall. 'Fe ddylwn dy droi'n wiwer heb gynffon am awgrymu'r fath beth.'

'Mae gan y fyddin yma dechnoleg tu hwnt i ddirnadaeth y byd hwn.'

'Tech-nol-eg?' meddai Mordecai. 'Beth yw hynny o'i gymharu â hud hynafol y byd hwn? Dim. Os daw'r fyddin yn agos at Mordecai, gall Mordecai ei ddinistrio gydag un rhech nerthol.'

'Ond...'

'Wyt ti'n amau fy mhŵer, fwydyn?' cyfarthodd. 'Edrycha arna i! Dyw fy ngweision ddim yn crybwyll fy enw i, cymaint yw eu hofn. Mae'r arwyr mwyaf wedi erfyn am drugaredd wrth fy nhraed, nid erfyn arnaf i beidio â'u lladd nhw ond i beidio â bwyta eu heneidiau i frecwast wedyn.'

Gwelodd Tomos rywbeth yn symud drwy gil ei lygad. Trodd ei ben ac edrych yn y drych. Roedd hen ddynes â nyth anniben o wallt gwyn yn dringo ar ei phedwar ohono.

Trodd Mordecai ei ben eto. 'Mallt-y-nos! Rydw i'n brysur.'

'Dim ond bwydo'r llydnod ydw i,' meddai'r hen wrach. 'Cariwch chi ymlaen!'

Estynnodd y wrach ei llaw yn ôl i mewn i'r drych a gafael mewn bwced. Tynnodd y bwced ar ei hôl a gwelodd Tomos ei fod yn llawn o fabanod bach, pob un ohonynt yn gwingo ac yn sgrechian.

Ymlwybrodd Mallt-y-nos at y balconi a dechrau taflu'r babanod fesul un dros yr ymyl. Heidiai llu o greaduriaid adeiniog yn wyllt tuag ati a dal y babanod yn eu cegau.

'Unwaith rwyt ti'n dechrau eu bwydo nhw, dy'n nhw byth yn gadael llonydd i ti,' meddai Mordecai gan ysgwyd ei ben.

'Fel gwylanod C'narfon, ia,' meddai Dylan.

Arhosodd nes bod Mallt-y-nos wedi gwagio'r bwced a diflannu yn ei chwman yn ôl i'r drych.

'Wel,' meddai Mordecai. 'Mae dau ohonoch chi wedi siarad, ond pwy yw'r tri arall?'

'Ceredin fab Caradog ydw i,' meddai Ceredin. 'Rydym ni wedi cyfarfod o'r blaen.'

'Ti oedd y newyddiadurfardd ddiawl yn y frwydr ym Mae'r Moch! Fe gefaist ti'r cwbl yn anghywir! Fe ddywedaist ti 'mod i wedi gwneud pum cant o blant yn amddifad, nid chwe chant! A bod y gwaed yn Ninas Bodran yn cyrraedd fy nghlun, nid fy mhen-glin! A nifer y clustiau a'r gweflau a dorrais o bennau'r ceffylau! A'r milltiroedd o goluddion a hongiai o goeden i goeden fel...'

'Mae'n ddrwg gen i, Arglwydd,' meddai Ceredin. 'Roedd y brain wedi bwyta'r rhan fwyaf erbyn i mi ddechrau cyfri.'

'Hmmm... fel arall, roedd y farddoniaeth yn dangos cryn addewid. Beth sydd yn dod â thi i'm llys?'

'Gyda'ch caniatâd, fy Arglwydd, rwy'n deall bod gennych chi yn eich meddiant gaethferch o'r enw Niahm, ynyswraig o'r Gorllewin a werthwyd i chi. Rydw i wedi dod i ymbil arnoch i'w rhyddhau.'

'Wn i ddim enw pob caethwas yn fy nheyrnas, fardd. Maen nhw mor niferus â sêr y nefoedd, ond fel morgrug o dan fy nhraed. Fe wnaf i daro bargen gyda thi, os wyt ti'n dymuno.' Chwarddodd. 'Fe ddoi di'n fardd i mi, gan deithio hyd a lled y wlad yn adrodd chwedlau am fy ngrym a'm hofnadwyedd. Byddi di'n llysgennad fardd ar fy rhan, ac ni fydd neb yn y Fabinogwlad oll yn gallu diystyru fy ngrym. Ac fe fyddi di'n broffwyd, yn rhag-weld fy nyfodol yn dy fyfyrdod. Os gwnei di hynny oll am gyfnod fe enilli di ryddid dy annwyl forwyn.'

'Rydych chi'n dra charedig, fy Arglwydd,' meddai Ceredin gan lyncu ei boer. 'Mi dderbyniaf eich cynnig yn llawen.'

'Ond dyma rybudd i ti. Nid ti yw'r bardd cyntaf i ddod i'm llys, ac nid ti fydd yr olaf chwaith. Un gynghanedd wallus, a fydd gen ti ddim bysedd i ganu'r delyn; un englyn di-ffrwt, ac mi fydda i'n defnyddio tannau'r delyn 'na i dy grogi di!'

Ymgrymodd Ceredin yn grynedig.

'A phwy yw'r ddau arall?' gofynnodd Mordecai. Trodd ei ben i gyfeiriad Angharad a bu'n fud am ennyd. 'Wel, wel, wel, pwy yw hon?'

'Angharad.'

'Rwyt ti'n fudr ac yn drewi, Angharad,' meddai. 'Ond mi wela i fod merch deg yn llechu o dan yr holl faw. Dos am fath, ac wedyn cei fy nghyfarfod i yma am swper ac yfed o'm gwin.' Cododd ar ei draed. 'Nawr ewch o'm golwg i,' meddai wrthyn nhw.

Gadawon nhw neuadd Mordecai a dilyn Llysnafedd i lawr y grisiau i'r ystafelloedd a gawsai eu paratoi ar eu cyfer.

'Swper?' gofynnodd Tomos yn flin. 'Beth mae e'n moyn gyda ti?'

'Sai'n gwybod,' meddai Angharad. 'Ond o leia ges i fath a dillad glân.'

Eisteddai'n cribo'i gwallt melyn sgleiniog o flaen y drych yn yr ystafell wely.

'Wel, cofia ddweud wrtho fod 'da ti sboner yn barod,' meddai Tomos. 'Rhag ofn iddo fe dreial rhywbeth. A dwi ddim yn fodlon ar y ffrog yna mae e wedi'i benthyca i ti. Dyw hi ddim yn gadael lot i'r dychymyg.'

Clywodd y ddau sŵn rhywbeth yn llusgo i lawr y coridor a rhoesant y gorau i drafod. Llysnafedd oedd yno, yn tynnu ei garped ar ei ôl.

'Mae'r Arglwydd wedi galw ar Angharad i fynd i fyny i'w ystafell,' sisialodd. 'Bydd y bardd Ceredin fab Caradog yn mynd hefyd i ddifyrru'r ddau gyda cherddoriaeth ei delyn.'

'Beth amdanon ni?' gofynnodd Tomos.

'Rydych chi a'r dyn boldew i aros yn eich ystafelloedd hyd nes y gelwir amdanoch,' meddai Llysnafedd yn swta.

Ymlusgodd i ffwrdd yn araf.

Bu Tomos a Dylan yn disgwyl yn ystafell Tomos am amser hir – Dylan yn lledorwedd ar y gwely a Tomos yn camu'n ôl ac ymlaen gan ofyn yn uchel o dro i dro ble roedd Angharad a beth oedd Mordecai yn ei wneud gyda hi.

'Paid â phoeni, mêt,' meddai Dylan. 'Bydd Ceredin yn edrych ar 'i hôl hi. Tydi hi ddim y fath yna o hogan, nag'di. A pwy ŵyr be sy o dan yr helmed 'na beth bynnag. Ella fod o'n hyll fel pechod. Ac efo twr seis yma, mae'n rhaid 'i fod o'n trio compensetio am rwbath.'

· Daeth cnoc ar y drws.

'Blincin Llysywen neu beth bynnag ydy 'i enw fe 'to,' meddai Tomos.

Agorodd Tomos y drws, ond Ceredin oedd yno a golwg flinedig ar ei wyneb – wedi'r holl farddoni, dyfalodd Tomos. 'Dewch i fyny,' meddai. 'Rydych chi wedi'ch gwahodd i'r wledd fawr.'

'Wyt ti'n iawn?'

'Ydw, ond dwi'n dechrau cael hi'n anodd meddwl am gynganeddion llusg teirodl i ddisgrifio pa mor erchyll o arswydus ydy Mordecai.'

Arweiniwyd nhw yn ôl i'r neuadd ble roedd bwrdd hir wedi'i osod o flaen gorsedd Mordecai. O boptu'r bwrdd eisteddai'r casgliad rhyfeddaf o westeion a welsai Tomos erioed. Yn eu plith roedd dynes â chroen glas a nifer o freichiau a'r rheiny'n troelli fel melin wynt wrth iddi stwffio bwyd i'w cheg. Gyferbyn â hi eisteddai creadur â phen twrch yn glafoerio dros ei blât.

Gwelodd Tomos fod Mordecai yn eistedd wrth ben y bwrdd, ei fiswrn yn dal am ei wyneb, ac wrth ei ochr – gwingodd yn eiddigeddus – roedd Angharad. Edrychai'n hynod dlws gyda'i gwallt euraid yn llifo i lawr ei chefn.

Eisteddodd ef a Dylan wrth ochr ei gilydd ym mhen arall y bwrdd ac ailafaelodd Ceredin yn ei delyn. Roedd bwydydd o bob math wedi'u paratoi, o gig creaduriaid anwar i gawl crocodeil a hwnnw'n brathu bysedd pwy bynnag a geisiai godi llwyaid ohono. Er bod y cig o liw piws a'i darddiad yn anhysbys roedd yn flasus iawn a bwytaodd y ddau'n awchus ar ôl mynd am ddiwrnodau heb fwyd iawn.

Wrth ymyl Tomos eisteddai mynydd o ddyn gyda barf goch gnotiog. Crogai pennau dynol o'i wregys a stwffiai anifeiliaid cyfan i mewn i'w geg bob yn ail â drachtio peintiau o fedd.

'Mae'n ddrwg gen i,' meddai Tomos wrth i benelin mynyddig y creadur ei daro am y canfed tro.

'Peidiwch ag ymddiheuro,' meddai llais o rywle. 'Mae'n hen beth lletchwith.'

Crymodd Tomos ei ben a gweld beth neu pwy oedd wedi siarad. Ymysg y pennau a oedd yn hongian o wregys y cawr syllai un arno.

'Ia, fi siaradodd,' meddai'r pen. 'Braf cwrdd â chi.'

'A chithe,' meddai Tomos yn ansicr.

'Peidiwch â bod ag ofn, dim ond pen ydw i.'

'Pwy... oeddech chi?'

'Llywelyn Glyndŵr, mab ieuengaf Brenin y Gogledd,' meddai'r penglog pydredig. 'Ro'n i ar fy ffordd adref i Ddinas Eryrod pan ges i fy nal gan rai o filwyr Mordecai a cholli fy mhen i'r bwystfil yma.'

'Mae'n ddrwg gen i glywed.'

'Peidiwch! Tydi marwolaeth ddim yn beth mor ddrwg. Ac mae gen i ddigon o gwmpeini,' meddai wrth edrych ar y pennau eraill o'i amgylch, rhai ohonyn nhw, sylwodd Tomos, yn rhochian cysgu. 'Rydw i'n arwain fy llynges fy hun erbyn hyn – gyda chydweithrediad Dolur, wrth gwrs.'

Dyfalodd Tomos mai Dolur oedd enw'r cawr barfog a fwytai wrth ei ymyl.

'Byddwn i'n gwerthfawrogi petait ti'n gollwng llai o friwsion ar fy mhen i, Dolur.' Yna edrychodd ar Tomos. 'Mae fy nheulu yn y Gogledd wedi gwrthod fy ngwahoddiad i ymuno gyda mi yn llynges y difarw. Ond un dydd fe welith fy nhad, Gruffudd Glyndŵr, mai fi sy'n iawn!'

'O ble gawsoch chi'r cyfenw Glyndŵr yna?'

''Dan ni'n ddisgynyddion i Owain Glyndŵr ei hun. Wedi methiant ei ymgyrch yn erbyn y Saeson fe ddaeth draw i'r byd hwn. Mae rhai'n dweud bod ei awydd i weld gwlad rydd i'w bobl mor gryf nes iddo greu ei Ddrws Dychymyg ei hun, a diflannu drwyddo.'

Atseiniodd sŵn llwy yn cael ei tharo yn erbyn gobled arian drwy'r ystafell. Cododd Mordecai ar ei draed â chwpanaid o fedd yn ei grafanc. Pesychodd yn gras i gael sylw.

'Foneddigion a bonogythreuliaid, a boneddigesau,' meddai. 'Diolch am wneud y daith yr holl ffordd o'ch chwedlau i fod yma heddiw. Mae gen i gyhoeddiad pwysig i'w wneud.'

Plygodd Tomos ei lwy yn gam wrth weld Angharad yn syllu'n gariadus ar yr unben.

'Wedi hir aros, rydw i Mordecai, yr Unben Mall o Dŵr y Penglog, o'r diwedd, wedi darganfod unbennes fall i reoli wrth fy ochor.' Trodd ei ben mawr ac edrych i fyw llygaid Angharad. 'Gaf fi gyflwyno fy Mrenhines, Angharad Watkins.'

Cododd Angharad dan wenu a moesymgrymu i westeion y wledd, a'r rheiny'n bloeddio a glafoerio'u cymeradwyaeth. Rhochiodd y twrch mawr.

'Mwynhewch weddill y wledd!' meddai Mordecai. 'Rhowch gynnig ar y pastai llyffant, mae'n flasus dros ben.'

Daeth y cwrs nesaf ond doedd gan Tomos ddim awydd bwyta.

'Paid â phoeni, Tomos,' meddai Dylan a'i geg yn llawn. 'Mae 'na ddigon o bysgod yn y môr.'

Crynodd gwefusau Tomos. Ail-lenwodd ei wydryn a'i lyncu ar ei dalcen.

'Wy'n mynd i bigo ffeit 'da fe,' meddai'n bwdlyd. 'Y bastad yn dwyn fy wejen i.'

'Dal dy ddŵr, Tomos,' meddai Dylan a gafael yn ei fraich. 'Mae ganddo bŵer anfeidrol, ac mae'n llawer mwy na ti.'

Pwdodd Tomos a llowcio rhagor o fedd.

Daeth y wledd i ben a chleciodd Mordecai ei fysedd i orchymyn i'r bwrdd a'r sbarion bwyd gael eu clirio. Gwelodd Tomos ei gyfle pan oedd Mordecai yn brysur yn siarad gyda chreadur â phum ceg a hwnnw'n adrodd chwedlau o'r India, a llwyddodd i lusgo Angharad i gornel dywyll.

'Angharad, mae'n rhaid i ni ddianc!' meddai. 'Mae Mordecai wedi rhoi rhyw swyn serch arnat ti.'

'Naddo wir, Tomos. Mae'n ddrwg gen i, ond mae gan Mordecai diroedd o Fae'r Penglog i wastadedd y Tiroedd Coll.'

'Dwyt ti'm hyd yn oed yn gwbod beth yw'r rheiny!'

'Na, ond maen nhw'n swnio'n dda. A beth sydd gen ti, dim ond yr Hen Ffermdy sy'n disgyn yn ddarnau a chwpwl o gaeau?'

'Cofia am y can mil o bunne! Digon am dŷ ym Mhontcanna. A 'na'r cwbwl rwyt ti isie bod, ife – gwraig i unben llygredig? Bwystfil yw e 'chan!'

'Wel, gawn ni weld. Yn bersonol rwy'n meddwl taw angen merch i edrych ar 'i ôl e ma fe.'

Gollyngodd Tomos ei afael ynddi. 'Felly 'na ni, ife? Dwy flynedd yn caru 'da fi a ti'n taflu'r cwbl bant i gael bod yn frenhines.'

Cusanodd Angharad ef ar ei foch. 'Mae'n flin 'da fi, Tomos. Ond fi 'di moyn bod yn frenhines erioed, ers pan oeddwn i'n wyth oed. Doedden ni ddim wir yn caru'n gilydd, nag oedden? Jest mynd mas 'da'n gilydd.'

Trodd ar ei sawdl ac ailymuno â Mordecai, ac yntau'n siarad gyda dau greadur a edrychai fel fampir groen glas ac octopws.

'Mae 'da ni dŷ haf hyfryd ar lethrau Mynydd Olympws,' meddai'r fampir.

'Fydd y duwiau Groegaidd ddim yn bles. Dy'n nhw ddim yn gallu fforddio tai ar eu mynydd sanctaidd eu hunain mwyach,' meddai'r octopws, gan chwerthin yn fyrlymus.

Aeth Tomos at Ceredin. 'Fi a Dylan yn gadel. Ti'n dod?'

'I ble?'

'Wel, mae'n amlwg nag yw hwn yn mynd i'n helpu ni i frwydro yn erbyn Arthur. Bydd yn rhaid i ni fynd i rywle arall. Tri chynnig i Gymro, ife?'

'Pwy sy'n malio am Arthur?' meddai Ceredin, gan ddal i daro'r tannau'n ffyrnig. Roedd ei fysedd yn goch erbyn hyn.

'Dyna holl bwynt dod yma! Er mwyn ei rwystro rhag meddiannu'r wlad. Dwyt ti ddim yn poeni am hynny?'

'Nac ydw. Fe fues i'n newyddiadurfardd yn ddigon hir – rydw i wedi gweld rhyfeloedd yn mynd a dod heb lawer o effaith ar fy mywyd i. Y rheswm dois i oedd er mwyn achub fy nghariad, Niahm. Cafodd hi ei gwerthu'n gaethferch i Mordecai gan y derwyddon. Mae'n flin gen i os gwnes i'ch camarwain chi ond, a bod yn onest, dydw i ddim yn malio taten am arwriaeth. Dwi wedi gweld gormod o bobl yn marw'n ofer.'

Crymodd Ceredin ei ben a chanolbwyntio ar ganu'r delyn fwa.

'Dere, Dylan, ry'n ni'n gadel,' meddai Tomos rhwng ei ddannedd.

'Ond dwi heb orffen y medd eto...'

'Ry'n ni'n mynd nawr!'

Gafaelodd Dylan mewn jwg arall wrth i Tomos ei lusgo drwy'r drws.

Cerddodd Tomos a Dylan ar hyd gwastadedd unig tir Mordecai. Roedd y tarth a guddiai'r haul wedi lladd yr holl blanhigion dan draed heblaw am ambell un a wywai'n wangalon yn y llaid. I'r gogledd codai'r bryniau serth, ac i'r de doedd dim ond tir diffaith hyd at y môr.

'Allwn ni ddim mynd adref,' meddai Dylan yn drist. 'Hyd yn oed pe bai Arthur ddim yno allen ni ddim croesi'r goedwig 'na heb Dewi a Ceredin i'n harwain. Ac mae'n debyg y bydd y goedwig yn llawn o filwyr byddin Arthur neu greaduriaid Cyrn-y-nos erbyn hyn.'

'Does 'da fi ddim cartref, Dylan,' meddai Tomos. 'Mae hyd yn oed y ffarm yn lle dierth i fi bellach. Ac alla i ddim mynd 'nôl i Gaerdydd heb Angharad.'

'Ond allwn ni ddim byw fel dau drempyn am byth, chwaith.'

Safai meini hir fel rhes o ddanedd anniben ar hyd ymyl y llwybr. Eisteddodd Tomos ar un ohonynt i feddwl am ychydig. Mwythodd ei ên a'r barf oedd wedi dechrau egino yno.

'Mi fydde'n haws pe bai Dafydd 'ma,' meddai Tomos. 'Dwi ddim o'r un brethyn ag e, ti'n gwybod... bydde fe'n gwybod beth i'w neud. Roedd e mor ymarferol.'

Ciciodd Dylan gnapyn o lo ar draws y tir anial. 'Wel, mae pob arwr yn cael 'i amheuon, tydi? Rhyw funud dywyll ac ynta'n meddwl bod pob dim ar ben.'

'Be wyt ti'n 'i feddwl?'

'Wel, fel roedd Ceredin yn deud. Gwlad o chwedla ydy hon, hen a newydd, yndê? Mae popeth 'dan ni wedi'i weld hyd yma'n rhwbath allan o chwedla.'

'Dwi'm yn cofio unrhyw sôn am ffatrïoedd a phylle glo mewn hen chwedle!'

'Ia, chwedl newydd ydy hon 'de? Sut le yn nychymyg pobl oedd ardal y pylla glo, adag y chwyldro diwydiannol?'

Edrychodd Tomos ar yr olygfa ddigalon o'i gwmpas. 'Wel, fel hyn o'dd hi, 'te?'

'Ia, yn y llunia du a gwyn, ella. Y cwbl rydan ni'n clywad amdano'r dyddia yma ydy'r caledi, a'r pentyrra o sbwriel, a'r plant yn marw a ballu. Uffarn ar y ddaear.'

Edrychodd Tomos dros ei ysgwydd i gyfeiriad y tŵr a godai o'r llwch.

'Ti'n meddwl bod fan hyn yn rhyw fath o adlewyrchiad o'n dychymyg ni?'

'Dychymyg y genedl, 'de? Roedd y glöwr yna'n deud bod hud yn adweithio i'r hyn sy ym meddwl pobl ac yn ei greu o go iawn. Mae'r byd yma'n adlewyrchu yr hyn sydd ym meddyliau pobl Cymru. Fyny yng Ngheredigion a Gwynedd ffor 'na mae pobl yn meddwl am y gorffennol a gweld tywysogion yn y goedwig yn cwffio yn erbyn bwystfilod ac ati, yn tydyn? Ond lawr yng nghymoedd y de, eu gorffennol nhw ydy'r pylla glo, fel sy fan hyn.'

Tynnodd Tomos ei gryman oddi ar ei gefn a'i droelli yn ei ddwylo. 'Sut yn gywir ma hyn am 'yn helpu ni, 'te? Ddylen ni ddychmygu 'yn bod ni i gyd gatre o flaen y tân – ti, fi, Angharad a Dad, a'r tecil yn chwibanu?'

'Na,' meddai Dylan. ''Dan ni'n rhan o'r chwedl, tydan? Fydd na'm denig nes 'yn bod ni'n cwblhau ein rhan ni yn y stori.'

'Felly beth allwn ni neud? Disgwyl i gael 'yn gosod yn 'yn lle fel gwerin gwyddbwyll?'

Ochneidiodd ac edrych ar y tir diffaith o'i amgylch. Roedd yn ddewin, wedi'r cwbl. Mae'n rhaid bod yna ryw swyn i ddatrys ei broblemau.

'Ond Tomos,' meddai Dylan, 'mae'r unben cas yn cael ei orchfygu bob tro yn y chwedla, a'r arwr yn cael ei fodan yn ôl. Ella 'na 'yn rhan ni yn y stori yma fydd 'i drechu o?

'Os gallen ni newid meddwl y bobol, os cawn ni nhw i gredu y galle rhywun 'i orchfygu fe, bydd hi'n bosib. Unwaith byddan nhw'n gweld bod rhywun yn 'i herio fe...'

'Wel, mi gei di waith caled i ddod o hyd i rywun digon gwallgof i herio Mordecai.'

'Mordecai! Gad fy mhobol yn rhydd!' bloeddiodd Tomos, a tharo'i hudlath yn erbyn drws y castell.

Edrychodd dros ei ysgwydd ar Dylan, a gododd ei fawd arno a gwenu'n nerfus. Roedd tyrfa sylweddol o weithwyr ffatri wedi ymgasglu y tu ôl iddyn nhw, wedi'u denu yno gan araith Dylan am sosialaeth a hawliau gweithwyr. Roedd ei ddiddordeb mewn gwleidyddiaeth wedi bod o ddefnydd iddo o'r diwedd.

Daeth sŵn fel taran o'r tŵr uwchlaw, a dihangodd haid o ystlumod a fu'n gaeafgysgu yn y croglofftydd.

Llyncodd Tomos ei boer a gosod ei law ar ei gryman. Chwythodd cwmwl o lwch heibio.

Ennyd yn ddiweddarach taflwyd y drysau led y pen ar agor a daeth dau berson i'r golwg. Yn brasgamu tuag atynt yn ei arfwisg ddu, roedd Mordecai. Er ei waethaf cymerodd Tomos gam yn ôl, a chiliodd rhai o'r gweithwyr a ddaethai yno i wylio'r ornest.

Ond pan welodd Tomos fod Angharad yn ei wylio o'r drws, teimlai'n fwy penderfynol byth.

'Pa lipryn sy'n fy herio i?' gofynnodd Mordecai.

Ymsythodd Tomos yn herfeiddiol. 'Myfi, Tomos, olynydd Dafydd y Dewin!' Trodd at y dyrfa. 'Ie, Dafydd! Y swynwr enwog hwnnw yr ydych chi i gyd wedi clywed amdano, gobeithio...'

Chwarddodd Mordecai. 'Dyw e ddim wedi dod i'ch gadael chi'n rhydd, mae e wedi dod i nôl ei wejen!'

'Ac i ryddhau'r bobl hyn o'u caethwasanaeth.'

'Y dewin dwl!' bloeddiodd Mordecai. 'Wyt ti'n credu bod ganddyn nhw "Obaith"? Wyt ti'n credu eu bod nhw'n gweddïo wrth eu canhwyllau gyda'r nos am waredwr i'w hachub nhw rhag eu gwasanaeth i mi? Nag ydyn! Rydw i wedi sathru unrhyw obaith a lechai yn eu calonnau ers degawdau. Does ganddyn nhw ddim "Gobaith", does ganddyn nhw ddim byd, dim ond Fi.'

Edrychodd Tomos dros ei ysgwydd. Roedd y rhan fwyaf o'r dyrfa wedi sleifio'n ôl i'r ffatrïoedd, ac roedd Dylan hyd yn oed wedi diflannu. Roedd ef a Mordecai ar eu pennau eu hunain. Heblaw am Angharad. Sylweddolodd, yn y fan a'r lle, nad oedd ganddo ef obaith chwaith. Ac roedd Mordecai yn gwybod hynny hefyd.

'Dwyt ti'm yn gwybod sut i ddefnyddio'r hudlath yna, nag wyt?' gofynnodd. 'Yn enwedig os taw'r dewin diwerth Dewi 'na oedd dy hyfforddwr di. Doedd gan y ffugiwr yna ddim asgwrn hudol yn ei gorff.'

Tynnodd Mordecai ei hudlath yntau o'i glogyn. Brysgyll pum troedfedd o hyd ydoedd, a'i ben yn gorwynt o sbigynnau.

Edrychodd Tomos ar ei gryman bach, rhydlyd. Roedd Mordecai'n dweud calon y gwir, doedd ganddo ddim clem.

'Ond mi wna i fargen gyda ti,' meddai Mordecai. 'Fel cymwynas i fy ngwraig newydd, wna i ddim dy ladd di ar *un* amod. Dy fod ti'n addo rhoi dy hud i mi pan fyddi di'n marw.'

Teimlai tafod Tomos yn dew yn ei geg. Roedd ei ddwylo'n crynu. Mwmiodd dan ei wynt.

'Ar dy lw!' gorchmynnodd Mordecai.

'I... ie, rwy'n a... addo...' meddai Tomos yn floesg

'Addo beth?'

'Y... y gwna i roi fy holl hud i ti pan fydda i... farw.'

Chwarddodd Mordecai. 'Gorffennwyd!' Cododd ei freichiau tua'r nef.

Cododd Tomos ei olygon, ac yno roedd y peth mwyaf dychrynllyd a welsai erioed. O'r tarth a amgylchynai Dŵr y Penglog, daeth rhywbeth allan, ac roedd hwnnw yn awr yn dringo i lawr tuag ato. A chlywodd ganu gwawdlyd o'r adeilad:

Pwy sy'n dŵad lawr y tŵr, yn ddistaw, ddistaw bach...
Ei ben yn ddu a'i goesau'n goch a gwenwyn yn ei sach...

Ciliodd Tomos yn ôl a'i sgrech yn sychu yn ei wddf. Roedd y creadur yn llusgo sach anferth, fadreddog ar ei ôl.

Lob Sgows! Lob Sgows! Helô, Helô!
Tyrd yma tyrd i lawr!

Chafodd Tomos ddim amser i ffoi. Gollyngodd y drogen anferth ei gafael ar y tŵr a glanio ychydig droedfeddi o'i flaen.

'Dim pob dewin sydd â chath yn anifail anwes iddo, Tomos,' meddai Mordecai.

Cuddiodd Tomos ei wyneb – ond doedd dim poen mawr. Dim ond brathiad cyflym, siarp, fel un o'r pigiadau a gafodd yn ei flwyddyn gyntaf yn yr ysgol uwchradd. Teimlodd Tomos yr holl egni'n llifo fel rhaeadr o'i gorff, a disgynnodd ar lawr.

Clywodd sgrech. A brwydr. Llais Angharad. Llais Mordecai'n gorchymyn. Llais Angharad yn anghytuno.

'Na wnaf, y diawl. Ti wedi'i ladd e!'

Cymylodd llygaid Tomos. Ond roedd yn siŵr mai'r peth olaf a welsai, cyn i bopeth fynd yn ddu, oedd tylluan wen yn codi i'r awyr ac yn hedfan fry, fel enaid yn esgyn i'r nefoedd.

Gwyliodd Dylan wrth i gorff Tomos gael ei gludo drwy'r dyrfa at y bedd. Llenwodd ei lygaid â dagrau.

'Mi wnes i ffoi,' meddai, gan sychu ei wyneb â'i lawes. 'Fel cachgi.' Edrychodd o'i gwmpas. 'Mae'r pentref cyfan yma,' meddai.

'Mae 'na angladde bron bob dydd,' meddai Idwal. 'Mae pobl yn gwybod sut i dalu parch i'r meirw.'

'Mi wnaeth o droi Angharad yn dylluan.'

'Pob lwc iddi. Weithie hoffwn i fod yn dylluan wen fel y gallwn i hedfan o'r lle du 'ma,' meddai Idwal gan roi llaw gysurlon ar ysgwydd Dylan.

Gollyngwyd corff llipa Tomos i mewn i'r twll. Yn araf bach, caeodd y waliau gwlyb amdano, ac o fewn munudau doedd dim ôl bedd yno o gwbl.

Trodd y dyrfa eu cefnau crwm ar y bedd ac ymlwybro'n ôl i gyfeiriad eu tai a'u gwaith. Eisteddai Dylan a'i ddagrau'n cymysgu â'r llaid.

'Heddwch i dy lwch, ia con'.'

HANES Y TRI ARGLWYDD

Roedd Tomos wedi'i gaethiwo. Dim ond ei feddyliau ei hun y gallai eu teimlo yn crafu ac yn gwingo yn y tywyllwch. Roedd ei gorff wedi'i barlysu, ac roedd yn mygu'n dragwyddol heb anadl.

Ai dyma oedd marwolaeth, bod yn gaeth am byth a dim ond y mwydod llwglyd yn gwmni? Doedd Tomos erioed wedi credu yn y nefoedd, ond bellach roedd yn dechrau credu mewn uffern.

Ceisiodd symud ei gorff unwaith eto, ond yn ofer. Ers faint roedd e wedi marw? Roedd poen trawiad y ddraig drogen wedi cilio'n syth, ac roedd wedi credu i ddechrau nad oedd yr anaf yn un drwg – cyn clywed y canu, a theimlo'r dwylo yn ei osod yn ei fedd, ac yna'n chwalu'r pridd dros ei lygaid agored, di-weld.

Roedd e'n rhy ifanc i farw. Dim ond dwy ar hugain oedd e. Wel, dim bellach, meddyliodd. Yn ddwy ar hugain yn marw, ond yn ddi-oed erbyn hyn – mor hen â phe bai wedi marw'n gant a deg.

Mae'n rhaid bod rhyw ffordd o ddianc, meddyliodd, rhyw air hud fyddai'n llacio'r cadwyni du. O leiaf roedd ganddo dragwyddoldeb i ddarganfod sut.

Ond yna clywodd sŵn oddi tano, rhywbeth yn sgriffian ac yn palu drwy'r pridd. Y mwydod llwglyd oedd wedi cyrraedd, mae'n rhaid! Doedd dim dianc.

Gafaelodd rhywbeth amdano, rhywbeth llithrig ac esgyrnog. Ac yna roedd yn disgyn, yn llithro, yn cael ei dynnu gerfydd ei goesau i lawr, drwy dwneli di-rif, i'r affwys uffernol. Crafai'r pridd a'r cerrig ei groen a llenwi ei geg a'i glustiau. Ceisiodd weiddi ar y creadur i arafu ond doedd dim llais ganddo.

Glaniodd ar lechfaen fel cath mewn sach, ond yn ddi-boen. Teimlai rywbeth yn crafangu drosto, ac yna ryw hylif afiach yn llenwi ei geg. Llyncodd.

O dipyn i beth dechreuodd ei lygaid ddod yn gyfarwydd â'r tywyllwch, a gwelodd ei fod mewn hen ddaeargell aflan. Gorweddai cyrff ym mhobman, wedi'u llusgo i mewn gan greaduriaid bach esgyrnog mewn carpiau seimllyd cyn iddynt hwythau'n droi i gropian yn ôl i fyny'r twneli i nôl mwy.

Cododd Tomos ar ei draed, â'i gorff yn anystwyth a brwnt. Herciodd rhwng y cyrff eraill, a hwythau'n gwingo ar y llawr, ac anelu tuag at y wal agosaf. Yna clywodd lais y tu ôl iddo.

'Dewch yn eich blaen! Mae yna ryfel – chlywsoch chi ddim?'

Yn hofran ychydig droedfeddi o'r llawr roedd sgerbwd bach, a'i adenydd llychlyd yn curo'r awyr.

'Does gynnon ni ddim drwy'r dydd, wyddoch chi.'

'Beth ydych chi?' gofynnodd Tomos, a'i lais yn atseinio yn ei ben heb gyrraedd ei glustiau.

'Tylwythen deg,' meddai'r sgerbwd bach. 'Er nad oes dim byd yn deg am fy oriau gwaith. Ers i Cyrn-y-nos a'r derwyddon fynd i ryfel, ry'n ni wedi bod at ein clustia mewn cyrff.'

'Ond sgerbwd ydych chi,' meddai Tomos.

'Fe gefais i'n llyncu a 'nhreulio gan fwgyn forfil,' meddai'r dylwythen mewn llais truenus er gwaetha'r wên barhaol ar ei hwyneb. 'Ti'n lwcus dy fod ti mewn cyflwr go dda pan fuest ti farw, a dweud y gwir. Mae byw yn hen i'w weld yn syniad da nes i ti sylweddoli y bydd gen ti gefn ciami hyd dragwyddoldeb.'

'Lle ydw i?'

'Gwranda, mêt, fel arfer 'swn i'n rhoi'r *guided tour* i ti, ond mae'r cyrff yn disgyn fel y glaw heddiw.'

Gwelodd Tomos ddyn yn crwydro heibio ac ôl llosgiadau ar ei wyneb.

'Beth ddigwyddodd?' gofynnodd Tomos iddo.

'Mi geision ni losgi'r goedwig,' meddai'r dyn, fel pe bai mewn breuddwyd. 'Ond newidiodd y gwynt – mae Caerbontllan yn wenfflam.'

Cerddodd Tomos allan o'r ystafell ac i mewn i geudwll mawr. Llifai afon danllyd yn araf drwyddo, mor llydan fel na allai weld y lan yr ochr draw yn y pellter. Gwelodd fod nifer o bobl wedi ymffurfio'n rhes ar ei glan – roedden nhw i gyd yn edrych fel derwyddon Caerbontllan.

Aeth Tomos i gefn y ciw.

'Hei, rwy'n dy gofio di,' meddai wrth y derwydd o'i flaen. 'Roeddet ti'n gweithio yn llyfrgell y deml. Be wyt ti'n neud fan hyn?'

Trodd y derwydd. Roedd boncyff anferth yn ei frest.

'Mi wnaeth yr Un Drwg ryddhau'r llyfrau,' meddai'n araf gan syllu o'i flaen yn ddi-weld . 'Gadawyd y geiriau'n rhydd – anweddodd y cwbwl oddi ar y tudalennau.'

Sylwodd Tomos ar rywbeth yn dod i'r golwg o'r tarth myglyd ac yn llithro'n araf tuag atynt ar draws yr afon danllyd. Ceubal ydoedd. Ni allai Tomos weld yr un dyn byw ar ei bwrdd ond roedd llusern ar bolyn ar flaen y cwch. Ymlwybrodd y rhes cyrff at fwrdd y ceubal a sefyll yno'n swrth. Aeth Tomos i eistedd yn y tu blaen. Gwelodd nad polyn oedd yn dal y llusern ond yn hytrach greadur eithriadol o denau'n gwisgo cwcwll ar ei ben.

'Chi yw'r capten? Ble ry'n ni'n mynd?'

'ἐπισκέπτομαι τον ἅδη,' meddai'r creadur.

'Esgusodwch fi?' Ond ddywedodd y cysgod ddim gair arall o'i ben, dim ond sefyll yn llywio'r ceubal drwy'r tonnau tanllyd.

Ni allai Tomos ddweud faint parodd y daith ar draws yr afon danllyd o dan do'r ogof. Aeth e ddim i gysgu. Ni allai wneud hynny mwyach, hyd y gwyddai, ond disgynnodd i syrthni tebyg i'r teithwyr eraill. O'r diwedd daeth y lan arall i'r golwg drwy'r gwyll, ac ymddangosodd adeilad enfawr drwy'r tywyllwch – palas anferth a dywynnai'n annaearol fel pe bai wedi'i gerfio o ddiemwnt, mor uchel nes bod y tyrau talaf yn un â chalchbyst nenfwd yr ogof.

Gwelai Tomos dwr o bobl wrth y drws yn disgwyl mynediad a'r tu blaen, dyn â chyfrol drwchus yn ei law, yn nodi enwau pawb a âi drwy'r porth.

Prociodd Tomos y corff o'i flaen. 'Pwy yw hwnna?'

'Yr Angelystor,' meddai'r person. 'Ef sy'n cadw llyfr ac yn cofnodi'r rhai fydd farw a'r rhai fu farw.'

'Enw?' gofynnodd yr Angelystor wrth i Tomos gyrraedd a sefyll o'i flaen.

'Tomos Ap.'

'Ap pwy?'

'Wn i ddim.'

Griddfanodd yr Angelystor a rowlio ei lygaid. 'Heddiw, o bob diwrnod, mae gennym ni rywun sydd ddim yn gwybod ei enw.' Rhedodd ei fys i lawr y rhestr enwau. 'Dim ond dau Tomos sydd wedi marw heddiw: Tomos ap Cadell a Tomos Lawgoch Draigladdwr, Arglwydd Cantref y Tir Llosg. Wyt ti wedi lladd unrhyw ddreigiau'n ddiweddar?'

'Naddo!'

'Tomos ap Cadell wyt ti felly, mab Cadell ap Trystan...' Edrychodd drwy ei lyfr eto. 'Mae dy deulu di'n gwledda yn ystafell cant pum deg chwech.'

Syllodd Tomos arno'n fud a symud ymlaen drwy'r porth a'r dyrfa anniddig yn gwasgu y tu ôl iddo. *Ei deulu*? Crwydrodd drwy'r palas enfawr, yn nodi'r rhifau ar y drysau ac yn ceisio dod o hyd i'r un cywir.

O'r diwedd daeth at ddrws cant pum deg chwech a chlustfeinio'n ofalus. Clywodd sŵn myrdd o leisiau a llestri'n tincial fel pe bai parti yno.

Roedd yn chwys oer drosto. Bu'n breuddwydio erioed am gael cyfarfod â'i dad a'i fam, ond nid ei holl hynafiaid a'i deulu estynedig hefyd ar yr un pryd.

Cnociodd yn uchel. Doedd dim ateb felly gwthiodd y drws yn gilagored a chymryd pip i mewn.

Roedd gwledd sylweddol yn cael ei chynnal a rhyw ddau gant o bobl yn eistedd wrth fwrdd hir mewn neuadd enfawr yn cnoi coesau baedd gwyllt ac yn drachtio medd.

Cerddodd Tomos heibio'r bwrdd yn betrus gan lygadu'r wynebau. Mentrodd dorri gair ag un o'r rhai mwyaf cyfeillgar yr olwg.

'Helô,' meddai'n betrusgar. 'Rwy'n credu ein bod ni'n perthyn?'

Gwenodd y dyn fel giât. 'Ti a fi a phawb arall yma, gyfaill. Pryd gyrhaeddaist ti?'

'Newydd gyrraedd.'

Safodd y dyn ar ei draed a chodi ei gwpan. 'Hei bois, un arall fan hyn... beth yw dy enw?'

'Tomos ap Cadell.'

'Tomos ap Cadell!' bloeddiodd y dyn gan chwifio'i gwpan

yn yr awyr a cholli diferion o fedd dros bob man. 'Mab pwy wyt ti, 'te? Mae Cadell yn enw eitha cyffredin. Ti sydd bia hwn, Cadell?'

'Dwi'm yn meddwl,' meddai dyn gyferbyn ag ef. 'Mae fy rhai i i gyd wedi cyrraedd. Ond, wedi dweud hynny, mi wnes i gnychu lot o buteiniaid yn fy oes, felly pwy a ŵyr?'

Gosododd y dyn law feddw ar ysgwydd Tomos. 'Lle rwyt ti'n mynd i eistedd, 'machgen i?'

'Sai'n gwybod,' meddai Tomos.

'Wel, mi wnaeth Teyrnon ap Gruffudd yn y pen pella ladd chwe draig (wel, a dweud y gwir mi roedd dwy yn dipyn o ffliwc, roedden nhw'n cwffio yn erbyn ei gilydd). Annhebyg iawn dy fod ti wedi cyflawni'r fath gamp! Ond prin y gwnaeth Myfyr ap Trefor yn y pen pellaf lwyddo i ladd tri Sais.'

Edrychodd Tomos ar Myfyr druan yn y pen pella yn cnoi cosyn o fara rhyg tra bod y criw wrth ei ochr yn claddu pob math o ddanteithion blasus.

Cyflwynodd y dyn ef i rai o'r lleill, gan gynnwys Tegog ap Dwyfnerth, Pabo Post Prydyn, Gwrwst Ledlwn, Gwynnog Farfsych a Dwywg Lyth.

'Felly, Tomos, diddana ni gyda hanesion dy arwriaeth ar faes y gad.'

Trodd dau gant o wynebau ato'n ddisgwylgar.

Cliriodd Tomos ei wddf. 'Wel, ym, mae gen i radd MA mewn Hanes...'

Bu distawrwydd.

Ceisiodd Tomos feddwl am rywun y gallai fod wedi'i ladd, trwy ddamwain o bosib.

'Fe wnes i gwblhau fy mathodyn nofio 1600m ym mhwll nofio Aberystwyth.'

Ysgydwodd y dyn meddw ei ben a chlywyd dau gant o bobl yn ochneidio'n siomedig. 'Mae'n ymddangos y bydd angen bwrdd newydd yn y pen draw,' meddai Teyrnon.

Edrychodd Tomos ar ei draed a cherdded i ben pella'r bwrdd, ble roedd Myfyr yn wên o glust i glust o fod wedi cael dyrchafiad o'r safle isaf un.

'Dwi'n fodlon cyfadde nad oedd lladd tri Sais yn fawr o gamp,' meddai'n falch a'i geg yn llawn. 'Ond dim ond chwech oed oeddwn i ar y pryd a fe ges i 'nghloi mewn twr yn y Tiroedd Coll am weddill fy oes.'

'Ife dim ond gwledda ry'ch chi'n neud drwy'r amser?' gofynnodd Tomos.

'Ie, dyna'r ôl-fywyd, yntê? Mynd i wledda gyda'ch cyndeidiau! Does dim rhaid i ti fwyta bara a dŵr gyda llaw, jest fi sydd wedi arfer ar ôl fy nghyfnod yn y carchar.'

Eisteddodd Tomos ar ei stôl arw yn ddigalon.

'Be sy'n bod?' gofynnodd Myfyr.

'Ro'n i'n meddwl bod fy nyddiau o fynd i bartïon drosodd ar ôl gadael y coleg. Ro'n i wedi gobeithio cyflawni rhywbeth o werth!'

'Rhaid i ti wneud hynny ar dir y byw,' meddai Myfyr, 'gan wybod y cei di ymlacio a chael sesiwn yfed am dragwyddoldeb wedyn.'

Estynnodd Tomos am y jwg a thywallt medd i wydryn. Roedd newydd ddechrau holi ei hun ble roedd holl fenywod ei deulu pan ddaeth merch heibio a chipio'r jwg wag oddi ar y bwrdd.

'Y merched sy'n gweini?' gofynnodd.

'Ia.'

'Mae hwn yn ôl-fywyd hynod o *chauvinist*.'

'Hm?'

'Sdim ots.' Cymerodd lymaid o'r medd. 'Sgwn i pa un o'r rhain yw 'Nhad a Mam?'

Edrychodd ar y rhesi o bennau tywyll o boptu'r bwrdd, â

rhai seddau'n wag am fod eu perchnogion eisoes yn gorwedd o dan y bwrdd.

Yna symudodd rhywbeth garw a blewog yn erbyn ei goes. Edrychodd i lawr.

'Gelert?' meddai mewn syndod. Na, roedd hi'n amhosib. Yno, yn gorwedd wrth ei draed, roedd ci ei blentyndod, a edrychai fel hen flaidd. 'Wyddwn i ddim bod ein hanifeiliaid yn cael dod i'r nefoedd hefyd!'

'Tomos?' ebychodd y ci mewn syndod. 'Beth rwyt ti'n neud 'ma?'

Edrychodd Tomos ar ei beint o fedd. Na, doedd e ddim wedi yfed cymaint â hynny. A beth bynnag, ci yn siarad oedd un o'r pethau lleia rhyfedd y daethai ar eu traws y diwrnod hwnnw.

'Rwy mor falch o dy weld di,' meddai gan estyn ei law a mwytho pen yr anifail.

'Beth ddigwyddodd?' gofynnodd Gelert yn daer. 'Sut buest ti farw?'

'Fe ges i 'nghnoi gan drogen anwes yr Arglwydd Du o'r De.'

'A ble roedd Dafydd ar y pryd?'

'Buodd e farw tua wythnos yn ôl. Câs e ei ladd gan y duw natur, Cyrn-y-nos.'

Ysgydwodd y ci ei ben. 'Na, dyw hyn ddim yn iawn o gwbl! Roeddet ti i fod i warchod y porthwll ar ei ôl. Mae rhywbeth wedi mynd o'i le yng ngwead y chwedl.'

'Maen nhw'n dweud taw'r rhain yw 'nheulu i, ond wela i ddim o 'Nhad na Mam yn unlle. Wyt ti'n gwybod pa rai ydyn nhw?'

Syllodd y ci arno. 'Ddywedodd 'mo Dafydd erioed wrthot ti?' gofynnodd. '*Fi* yw dy dad di.'

Disgynnodd y gwydraid o fedd o law Tomos a malu'n deilchion ar lawr.

'Cadell ap Trystan oedd fy enw i bryd hynny,' meddai'r ci. 'Ro'n i'n filwr ym myddin Brenin Tiroedd y Gogledd, ar fy ffordd i frwydr yn erbyn yr Arglwydd Du o'r De. 'Un diwrnod ro'n i'n arwain cyrch yng Nghoedwig Caddug i gael gwared ar rai o greaduriaid Mordecai, oedd wedi ymgasglu yno. Fe ges i fy ngwahanu oddi wrth weddill y milwyr – wn i ddim sut yn union ond rwy'n amau bod rhyw hud ar waith. Mae llwybrau'r goedwig yn agor ac yn cau'n wyrthiol.

'Beth bynnag, wrth ymlwybro drwy'r goedwig doedd gen i ddim syniad pa ffordd roeddwn i wedi dod na pha ffordd y dylwn i fynd. Dechreuais weiddi'n groch pan glywais i ganu swynol o'm cwmpas. Gadewais y llwybr i ddilyn y canu a dod at lannerch hafaidd ac afon ariannaidd yn llifo drwyddi. Roedd yn lle tangnefeddus, ac fe wnes i orffwys yno am gyfnod ac ymolchi yn yr afon ac yfed ohoni.

'Wrth i mi orwedd yno felly fe welais i ferch ifanc, brydferth yn ymolchi yn yr afon dan ganu. Ei llais hi ro'n i wedi'i glywed cynt. Ro'n i'n ddi-briod, ac yn y fyddin... wel, byddwn i'n achub ar bob cyfle fel y deuai...

'Dylwn i fod wedi sylweddoli fod hud ar waith ond dyw dyn ddim yn defnyddio ei synnwyr o dan y fath amgylchiadau. Gadewais hi yn y fan honno ac wedi hir chwilio ailymunais â 'nghyfeillion ar ein ffordd i'r frwydr. Anghofiais i bob dim am y llannerch a'r ferch ifanc wrth i'r rhyfel barhau am fisoedd lawer tan y llwyddwyd i drechu byddin Mordecai unwaith yn rhagor.

'Ond ar fy ffordd yn ôl, gan fod nifer o'n ffrindiau wedi'u lladd, doedd dim digon o griw ohonom i amddiffyn ein hunain rhag ymosodiad llechwraidd gan greaduriaid y goedwig. Fe ges i fy nal a'm llusgo i le hynafol nad oedd llygad dyn wedi'i weld o'r blaen. Welais i erioed olygfa mor brydferth â'r lle hwnnw, ond mae blodau lliwgar yn pigo, fel byddai dy fam-gu yn arfer dweud.

'Ges i'm hebrwng gerbron Natur ei hun, duw ffrwythlon-deb, Cyrn-y-nos. Ro'n i, meddai, wedi llygru un o'i afonydd ef. Dyna oedd y fenyw yna wrth gwrs, enaid un o'r afonydd a lifai drwy'r goedwig. Fel cosb, fe ges i 'yn nhrawsnewid yn gi.

'Ac er mwyn sicrhau na fyddai llygredd dyn yn treiddio ymhellach i mewn i'w deyrnas, fe ges i ti ganddyn nhw – fy mab a anwyd i enaid yr afon.

'Llusgais i ti yn ôl drwy'r goedwig gyda mi gerfydd fy nannedd, ac edrych ar dy ôl di cystal ag y gallwn i. Doedd pobl fy mhentref ddim yn fy adnabod, felly es i at Dafydd y Dewin a allai siarad â bwystfilod ac ymbil arno i 'nhrawsnewid yn ôl, ond roedd y newid yn barhaol, meddai ef – dim ond Natur oedd â'r pŵer hwnnw a byddwn i'n parhau yn y corff hwn hyd yn oed y tu hwnt i'm marwolaeth.

'Cyn hir fe gafodd Dafydd y Dewin ddigon ar y duw direidus a'i alltudio o'r byd hwn, oherwydd fe welai na allai dyn a natur barhau i gyd-fyw – fe fydden nhw'n dinistrio'i gilydd. Roedd yn rhaid i'r naill gaethiwo'r llall.

'Dafydd oedd ceidwad y porthwll, ac fe wahoddodd ni i'r byd arall i fyw mewn heddwch gydag ef ar ei ffarm ar ben y bryn.'

Gorffennodd Gelert ei hanes cyn mynd yn ôl i orwedd unwaith eto o dan y bwrdd.

'Pam na wnath unrhyw un ddweud hyn wrtho i cyn nawr?' gofynnodd Tomos.

'Am nad oeddwn i'n credu y byddet ti angen gwybod,' meddai Gelert. 'Dim ond tra bydd pobl yn cofio'r hen chwedlau mae drysau'r dychymyg rhwng dy fyd di a'n byd ni'n bodoli.'

'Felly, unwaith y gwnaiff pobl Cymru anghofio'r hen chwedlau, yna bydd y drws yn cau?'

'Nid yn unig hynny, ond bydd y Fabinogwlad yn dod i ben. Mae'n bodoli'n unig ym meddyliau pobl Cymru – dyna sy'n bwydo hud a lledrith y byd hwn. Roedd y Fabinogwlad yn arfer ymestyn yn llawer pellach nag y mae yn awr, at fôr y Dwyrain, ond ehangu mae'r Tiroedd Coll ddydd ar ôl dydd.

'Tomos, wyddost ti ddim pa mor aml roeddwn i eisiau siarad gyda thi dros y blynyddoedd. Ond roedd Dafydd yn gadarn ei farn na ddylet ti gael gwybod y gwir.'

'Sut buest ti farw? Roedd Dad… ym, Dafydd… yn dweud dy fod ti wedi cael dy roi i gysgu gan y fet.'

'Roedd Dafydd yn gwybod mai'r unig ffordd y gallwn i fynd i lys fy nghyndadau yma yn yr is-fyd yn Annwfn fyddai pe bawn i'n marw yr ochr yma i Ddrws Dychymyg. Pan aethost ti i'r ysgol y bore hwnnw fe wnaeth fy nghario i drwy'r porthwll a'm claddu ar y twmpath uwch Caerbontllan. Ers hynny rydw i wedi bod fan hyn, heb allu cymryd fy lle priodol wrth fwrdd fy nghyndadau a heb fwyta ond y briwsion sy'n disgyn oddi arno.'

'Fe fuodd Dafydd farw yn y byd hwnnw,' meddai Tomos yn ddigalon, 'i'm hachub i.'

'Aberth dewr,' meddai Gelert. 'Ond aberth a gaiff ei wastraffu os cei di dy garcharu yma yn Annwfn.'

'Ond pa bwrpas achub y Fabinogwlad os bydd yn dod i ben beth bynnag?'

'Hawdd fyddai digalonni,' meddai Gelert. 'Mor hawdd fyddai gadael i'r diwedd ddod, a gwylio'r Tiroedd Coll yn ymestyn eu crafangau ymhellach ac ymhellach i'n byd ni fel na fydd dim ar ôl. Ond edrycha di o dy gwmpas, Tomos, ar dy gyndadau. Pobl a frwydrodd hyd y diwedd un dros y Fabinogwlad, i'w gwarchod rhag y drwg, a sicrhau ei bod yn goroesi. Ai ti fydd y cyntaf i roi dy arfau o'r neilltu a dweud – dyna ddigon? Heblaw am Myfyr wrth gwrs.'

'Hoi!'

Pendronodd Tomos. 'Na, fynnwn i ddim bod yr un i wneud hynny. Ond mae'n rhy hwyr nawr, on'd ydy? Rwy eisoes wedi marw.'

'Nid o anghenraid,' meddai Gelert, a gwthio'i ben yn erbyn pen-glin Tomos fel pe bai'n adrodd cyfrinach. 'Yn ôl y chwedlau mae un ffordd o ddianc rhag Annwfn i'r uwchfyd.'

'Beth yw'r ffordd honno?'

'Drwy ymdrochi ym Mhair Annwfn – crochan y mae Arawn, brenin yr is-fyd, yn geidwad arno. Dyna'r crochan yr hwyliodd Arthur i Annwfn i'w gael – ac, yn ôl y sôn, roedd Dafydd y Dewin yn un o'r criw o saith ddaeth gydag Arthur 'nôl i'r wyneb.'

'Ond mae'r crochan yn dal yno...'

'Beth sydd yn y crochan sy'n bwysig. Nid lladron oedden nhw ond mae Arawn yn ei warchod yn ofalus. Maen nhw'n dweud y gall y sawl sy'n mynd ar ei ben i'r pair godi o farw'n fyw. Petait ti'n medru osgoi Arawn a chŵn Annwfn ac ymdrochi yn y Pair, ac yna dianc yn ôl i'r byd uwchben, mi fyddai cyfle o hyd i ti drechu Cyrn-y-nos. Dim ond chwedlau yw'r rhain wrth gwrs. Ond yn y byd hwn, mae'r chwedlau bron bob tro'n wirionedd...'

Sleifiodd Tomos a Gelert drwy'r drws mawr pren gan adael rhialtwch stwrllyd y wledd o'u hôl. Roedd coridorau'r castell yn dawel fel y bedd.

'Does dim modd ymadael trwy brif byrth y palas,' meddai Gelert. 'Mae'r Angelystorion yn gwarchod pob un ohonynt. Yr unig ddihangfa bosib yw'r drws y bydd Arawn yn ei ddefnyddio pan fydd yn gadael y palas i hela yn yr uwchfyd.'

Sleifiodd y ddau drwy'r castell. O'r diwedd daethon nhw at neuadd fwy na'r gweddill, ac wrth sbecian drwy'r drws gwelai Tomos mai un dyn yn unig a eisteddai yno, a hynny ar orsedd blaen a diaddurn ym mhen pella'r ystafell. Roedd ei groen yn welw, ei wallt yn olau a'i lygaid ar gau, a gwisgai glogyn hela llwyd.

Wrth ei draed safai crochan mawr a'r hylif ynddo'n byrlymu ac yn ffrwtian, ac o amgylch hwnnw saith ci hollol wyn, heblaw am eu clustiau pinc.

'Cŵn albino?' sibrydodd Tomos.

'Cŵn Annwfn,' atebodd Gelert yn dawel. 'Nhw sy'n hela gyda'r nos gydag Arawn, ac yn dal y meirw a aeth ar ddisberod.'

'Wel, mae'n edrych fel petaen nhw'n cysgu. Dyna'r pair. Lle mae'r ffordd allan?'

'Tu ôl i'r orsedd. Unwaith y byddi di wedi mynd heibio iddynt bydd yn rhaid darganfod y ffordd i'r wyneb. Ond cofia, Tomos, nad yw amser mor bwysig yma yn yr ôl-fywyd ag ydyw yn yr uwchfyd. Mae amser yn canolbwyntio'i ymdrechion lle mae pobl ei angen, ac yn gwneud tragwyddoldeb yn haws ei oddef.'

'Fyddi di'n dod gyda fi?'

'Na, Tomos, rydw i wedi bod yn farw yn rhy hir, ac mae fy nghorff wedi anghofio sut i fyw. Bydd yn rhaid i ti fynd ar dy ben dy hun drwy'r neuadd. Ond, Tomos – cofia ymdrochi yn y crochan, neu bydd dy ysgyfaint yn crebachu a'r gwaed yn caledu'n dy wythiennau pan gyrhaeddi di'r uwchfyd.'

Sleifiodd y ddau drwy'r neuadd heibio i'r cŵn. Roedden nhw'n rhochian yn hapus ac yn crafu chwain Annwfn yn eu cwsg. Edrychodd Tomos ar wyneb llonydd Arawn. Cysgai ar ei eistedd, a'i wynepryd gwelw yn gwbl ddisymud. Edrychai fel cerflun wedi'i naddu o'r garreg.

Trodd llygaid Tomos at y crochan. Roedd yn ddu, a chylch o ddiemwntau ar hyd ei ymyl. Mentrodd yn nes i gael golwg y tu mewn a gwelodd yr hylif symudliw yn ffrwtian ynddo.

Wrth iddo betruso wrth ymyl y crochan clywodd sŵn cŵn Annwfn yn chwyrnu y tu ôl iddo. Yna cyfarthodd un o'r cŵn a neidio amdano. Disgynnodd Tomos ymlaen gyda bloedd cyn syrthio ar ei ben i mewn i'r hylif amryliw.

Am eiliad roedd y lliwiau'n chwyrlïo o'i gwmpas a sŵn hisian yn ei glustiau. Yna llwyddodd i godi ar ei eistedd a stryffaglio o'r pair gan boeri'r hylif o'i geg. Gwelodd lygaid Arawn yn agor a syllu arno.

'Rhed am dy fywyd!' cyfarthodd Gelert arno o'r drws.

Llamodd Tomos dros y cŵn ac i gyfeiriad cefn yr orsedd, lle gwelai ddrws yn y wal. Cymerodd gip dros ei ysgwydd wrth redeg drwyddo, a gweld ei dad y tu ôl iddo'n cyfarth ar gŵn Annwfn ac yn ceisio'u rhwystro rhag ei ddal. Y peth olaf a welodd oedd cŵn Annwfn yn llamu am Gelert.

Ymbalfalodd Tomos ar hyd y waliau cerrig drwy'r tywyllwch dudew, gan chwilio am ffordd drwy'r ddrysfa. O'r diwedd, gwelodd lewyrch yr afon danllyd o'i flaen, ac edrychodd o'i gwmpas yn wyllt am ffordd i groesi. Gwelodd y ceubal wedi'i angori wrth y lan a rhedodd Tomos ato.

'Dewch yn eich blaen! Rwy'n moyn croesi.'

Edrychodd yr hen ddyn tenau arno'n fud, ac yna cynnig y cetyn iddo.

'Dyw e ddim yn dy ddeall di,' meddai llais annaearol y tu ôl i Tomos. 'Wedi dod i weithio yma o chwedl dramor mae e.'

Trodd Tomos a gweld Arawn yn sefyll y tu ôl iddo. Roedd ei fantell lwyd yn chwythu yn yr awel danddaearol. O amgylch ei draed safai ei gŵn yn chwyrnu'n fygythiol.

'Mae'n rhaid i mi ddychwelyd i'r wyneb,' meddai Tomos. 'I achub y byd hwn.'

'Y byd hwn? Bydd Annwfn yn dal i fodoli am byth,' meddai Arawn. 'Mae'n nodwedd barhaol o ddychymyg dyn drwy'r oesoedd, ac mi fydd tan yr anadl olaf un. Hyd yn oed petai eich chwedlau chi'n cael eu hanghofio, byddai Annwfn yn parhau mewn chwedlau eraill di-rif.'

'Ond ry'ch *chi'n* rhan o'n chwedlau ni.'

'Does gan y byd uwchben ddim awdurdod dros yr is-fyd,' meddai Arawn. 'Yma mae chwedlau yn cymysgu a phlethu. Yma, yn yr isymwybod, mae eginyn pob dychymyg.'

Roedd Tomos wedi colli pob amynedd. Rhwygodd y rhwyf o ddwylo'r hen ddyn â'i getyn a'i daro dros ymyl y cwch. Disgynnodd hwnnw i mewn i'r afon danllyd gan regi mewn iaith estron. Neidiodd Tomos i mewn i'r cwch a dechrau rhwyfo'n orffwyll.

Cyfarthodd y cŵn yn wyllt o'i ôl.

'Does dim modd dianc,' meddai Arawn. 'Byddwn ni'n hela eneidiau coll unwaith eto pan ddaw'r nos.'

Rhwyfodd Tomos y ceubal ar draws yr afon nes bod ei freichiau'n llosgi, ond rywsut daliodd ati. Byddai'n amhosib diffygio'n llwyr ac yntau eisoes wedi'i ladd, meddyliodd.

Wedi rhwyfo am oes gwelodd y lan yn y pellter. Roedd tyrfa yno'n disgwyl amdano – rhai wedi'u llosgi, rhai â gwaed sych ar eu dillad lle cawsant eu trywanu, eraill wedi colli eu breichiau neu eu coesau a rhai â briwiau agored.

'Sut mae pethau'n mynd fyny fan'na?' gofynnodd.

Edrychon nhw arno'n syn. 'Dreigiau sy'n saethu tân o'u trwynau hirion...' meddai un. 'Hudlathau sy'n lladd gydag un ergyd...'

Gwthiodd Tomos drwyddyn nhw a dringo i fyny'r ceudwll tua'r wyneb.

'Hoi!' meddai llais, a throdd i weld y dylwythen deg ysgerbydol gyda'i llusern y tu ôl iddo. 'Dwyt ti'm yn cael mynd ffor 'na!'

Gwthiodd Tomos hi o'r neilltu a pharhau heibio'r dyrfa fawr i ben draw'r ogof.

Daeth allan o'r is-fyd wrth ochr y creigiau ger troed y mynydd. Roedd hi'n nos, ond roedd yr awyr o'i flaen yn goch tanllyd. Clywai sŵn ffrwydro yn atsain yn y llonyddwch. Teimlai'r awyr oer yn llenwi ei ysgyfaint, a sylweddolodd mai dyna'r tro cyntaf ers amser iddo gymryd anadl.

Rhedodd yn ei gyfer i lawr y bryn tan iddo gyrraedd coedwig fechan. Arhosodd yno am funud i orffwys, gan gofio ei fod yn ôl ar dir y byw. Ymlwybrodd wedyn drwy'r prysgwydd i gyfeiriad y llewyrch coch. Sylwodd mai ef oedd yr unig un a wnâi hynny – fe garlamai anifeiliaid o bob lliw a llun heibio iddo, ond i'r cyfeiriad arall yn dianc o'r gyflafan.

Daeth at ymyl y goedwig o'r diwedd a gweld golygfa erchyll yn y cwm islaw. Roedd y pentref oddi tano'n wenfflam, ac ymysg yr adeiladau roedd milwyr arfog o'i fyd ef, a gynnau yn eu dwylo, yn hel y bobl o'u blaen fel defaid.

Rhedodd Tomos i lawr atynt gan chwifio'i ddwylo. 'Arhoswch!' gwaeddodd.

'*Stay where you are!*' Anelodd un o'r milwyr wn tuag ato.

Stopiodd Tomos yn ei unfan. 'Peidiwch â saethu!'

'*Don't speak Welsh, mate.*'

'*I'm from through the portal, like you,*' meddai Tomos. '*I'm from the other side.*'

'*What's your name?*'

'Tomos ap... Cadell.'

'*You're the one who owns that crazy house, aren't you? You were supposed to stay put. Put him in the back of the lorry.*'

Lori? Sut roedden nhw wedi cael un o'r rheiny drwy'r

porthwll? Clywodd sŵn grŵn cyfarwydd injan a gweld y cerbyd yn cael ei yrru i fyny'r llwybr drwy'r mwd trwchus, yn edrych yn gwbl ddieithr ymysg yr adeiladau to gwellt cyntefig.

Llusgwyd ef at y lori a'i daflu i'r cefn gyda gweddill carcharorion y pentref.

'*Can you speak Welsh?*' gofynnodd un o'r milwyr. '*Can you say something to these people?*'

'*Say what?*' gofynnodd Tomos.

'*Tell them everything's going to be OK. Tell them we're taking them to somewhere safe.*'

Edrychodd Tomos ar y bobl mewn carpiau a'u llygaid fel soseri, yn meddwl bod rhyw ddraig fawr wedi'u bwyta nhw.

'Peidiwch â phoeni,' meddai Tomos. 'Mae 'na gymorth ar y ffordd.'

Ond doedd hynny ddim yn wir. Roedd wedi methu.

Gwersyllai byddin Arthur tu allan i Gaerbontllan, ar faes diffaith lle safai'r goedwig cyn hynny. Doedd dim yn weddill ond bonion llosg wedi'r tân.

Gwelai Tomos fod ardal helaeth o Gaerbontllan wedi'i llosgi'n ulw. Ond roedd teml y derwyddon yn dal yno, ei thyrau a fu unwaith yn wyn bellach yn llwyd a huddygl yn codi ac yn chwyrlïo uwch y dinistr o'i chwmpas.

Roedd y bryn lle safai'r porthwll wedi'i amgylchynu gan ffens. Gwelai Tomos y milwyr yn mynd a dod gan gludo darnau o gerbydau wedi'u datgymalu er mwyn eu hailadeiladu ar yr ochr arall.

Gwahanwyd ef oddi wrth y carcharorion eraill a chafodd ei dywys i lawr lôn darmac a oedd newydd gael ei gosod tuag at bencadlys yr ymgyrch. Gwelodd arwydd rhydlyd 'Y Beddrod Anllad' yn siglo uwchben y porth blaen.

Roedd y tu mewn i'r dafarn wedi'i newid yn gyfan gwbl, yr hen drawstiau a'r byrddau pren wedi'u rhwygo allan a phetheuach newydd mewn crôm a gwydr wedi'u gosod yn eu lle. Edrychai fel un o'r 'Ikea pubs', chwedl Dylan. Gwenodd Tomos er ei waethaf. Eisteddai Arthur yno tu ôl i fanc o sgriniau. Cododd ei ben ac amneidio'n siriol ar Tomos i ddod ato.

'Mae rhyfel wedi newid ers fy nyddiau i,' meddai'n sionc. 'Roedd ymgyrch yn arfer parhau am fisoedd. Saith awr gymerodd hi i ni ddiogelu'r ddinas.'

'Beth y'ch chi moyn gyda fi?' gofynnodd Tomos.

'Mi wnes i gamgymeriad y tro diwetha, yn gadael i ti fynd yn ôl fel 'na heb gadw golwg arnat ti. Ro'n i'n meddwl y byddet ti'n cyflawni dy ran yn y chwedl yn ddiffwdan ac yn marw wedyn. Ond mae gan ein chwedlau ni ffordd gwmpasog dros ben o gyrraedd eu diweddglo.'

'Ry'ch chi'n ymosod ar bobl go iawn, nid chwedlau.'

'Rydyn ni'n gwneud hyn dros Gymru, Tomos,' meddai'n llym. 'Ac rwyt ti'n Gymro ar ein hochor ni. Paid ag anghofio hynny. Mae'n bryd rhoi breuddwydion plentynnaidd y Fabinogwlad i'r naill ochr a magu tipyn o asgwrn cefn. Canolbwyntio ar y dyfodol yn hytrach nag ymdreiglo mewn gorffennol ffug sy'n bodoli yn nychymyg y genedl yn unig. Roeddwn i yno, ti'n gwybod, yn ôl yn yr oes pan oedd holl arwyr mawr honedig y Cymry'n brwydro dros eu gwlad. Dyw'r llyfrau cenedlaetholgar ddim yn adrodd hanes y cachgwn maleisus y gwyddwn i amdanynt, a fyddai'n ennill grym drwy sbaddu eu brodyr a threisio'u cyfnitherod. Caent eu dyrchafu'n arwyr gan y llyfwyr tinau, â'r hyfdra i alw eu hunain yn feirdd ac a fyddai'n fodlon canu mawl i unrhyw ynfytyn am geiniog neu ddwy. Mi wna i Gymru'n gryfach yfory, ac os oes rhaid i mi ddinistrio ddoe, wel, mi wna i hynny'n llawen.'

'Rwy'n gwybod beth yw cyfrinach dy fywyd hir di nawr,' meddai Tomos. 'Mi wnest ti ddwgyd hylif o grochan Annwfn.'

Chwarddodd Arthur. 'Mae cyfrinach fy anfarwoldeb yn llawer haws na hynny. Fe wnes i ddysgu'n gynnar iawn, yn fuan ar ôl agor y porthwll i'r byd hwn drwy dynnu Caledfwlch o'r Maen Hir, beth oedd pŵer dychymyg. Rydw i wedi parhau'n anfeidrol oherwydd fy mod i'n ddrych i obeithion y genedl. Tra bydd fy chwedl yn parhau does dim modd fy nifa. Fe gaeais i'r porthwll drachefn fel na fyddai'r un arwr yn ennill yr un statws â fi mewn chwedloniaeth, gan wybod pan ddeuai'r amser cywir y byddai cred y ffyddloniaid yn fy nghodi o farw'n fyw.'

'A beth yn union sy a wnelo hyn â fi?'

'Mae'n rhaid i ti ladd Cyrn-y-nos. Ti yw'r unig un all wneud – mae wedi'i sgrifennu yn y sêr. Mi wnaeth Dafydd y Dewin joban dda iawn ohonot ti – fe wyddai y byddai plentyn amddifad yn dal dychymyg pobl. Onid plentyn heb dad na mam oedd Myrddin ei hun? Ac fe laddodd Cyrn-y-nos yr hen ddewin hwnnw a throi dy dad yn flaidd – drwy gamgymeriad, ynteu'n fwriadol? Mewn stori dda, does dim elfen sicrach na dial.'

'Ond sut galla i 'i ladd e? Fe gymerodd Mordecai fy hud, a does 'da fi ddim hyfforddiant fel milwr.'

'Hud? Lol botes maip. Roedd dy bŵer wedi'i seilio ar y ffaith bod pobl, a ti dy hun, yn credu dy fod ti'n ddewin. Dyna'r oll yw dewiniaid – pobl â straeon diddorol mae eraill yn credu yn eu hud.

'Dyna pam mae Cyrn-y-nos mor beryg. Llwyddodd Dafydd i'w alltudio drwy'r porthwll oherwydd ei fod yn wan, a'r bobl wedi colli eu parch tuag at natur. Roedd duwiau eraill wedi cymryd ei le, a dim ond adnodd i'w dreisio gan ddyn ydoedd. Ond mae ar bobl ofn natur o'r newydd nawr, ac mae hud

Cyrn-y-nos yn fwy peryglus nag erioed.

'Eto i gyd, pwy sydd angen hud erbyn hyn?' meddai Arthur dan wenu. 'Mae gyda ni rym milwrol. Fe gei di dy lynges dy hun i fynd gyda thi, a thaflegrau hefyd.'

'Ond lle down ni o hyd i Gyrn-y-nos? Mae'n cuddio yn y goedwig yn rhywle.'

Chwarddodd Arthur. 'Dyw hi byth yn anodd dod o hyd i dduw,' meddai. 'Maen nhw'n hoff o'r sylw.'

Roedd hi'n fore. Ar gyrion y goedwig, ymunodd Tomos a'i filwyr â'r ffordd – llwybr trol hynafol, rhwng dau glawdd pridd ydoedd, ond wrth iddynt ymwthio yn eu blaen trwy ddyffrynnoedd a thros fryniau cynyddodd y llystyfiant hyd nes nad oedd bron unrhyw olion o'r ffordd o gwbl. Roedd fel pe bai'r goedwig ei hun yn ymladd i'w rhwystro.

Dilynon nhw'r llwybr hwnnw am gyfnod, â Tomos yn cerdded yn eu canol yn garcharor. Doedd e ddim yn siŵr faint o filwyr oedd yno gan eu bod nhw i gyd yn gwisgo lifrai cuddliw yr un fath ac yn gwau i mewn ac allan o'r coed.

Roedd bron â disgyn gan flinder pan glywodd waedd o rywle yn y goedwig. Gwthiwyd ef i'r llawr gan y milwr y tu ôl iddo a theimlai ei anadl poeth yn ei glust.

Yna clywodd wn yn cael ei danio. Ffrwydrodd y goedwig â sŵn anifeiliaid.

'*Who the bloody hell was that?*' gofynnodd un o'r milwyr.

A hwythau'n ymdreiddio ymhellach i mewn i'r goedwig rhwystrwyd hwy gan winwydd trwchus a chwistrellai sudd drycsawrus wrth iddyn nhw ymosod arnynt gyda'u cleddyfau. Llifai'r sudd gludiog dros eu bysedd a'u dillad.

Cyn hir roedden nhw'n rhwygo'r trwy'r prysgwydd gyda'u dwylo, eu traed yn suddo i'r fawnog a'r gwybed yn eu brathu'n ddidrugaredd. Tynnodd y milwyr eu fflachlampau o'u bagiau wrth i belydrau olaf yr heulwen ddiflannu rhwng y dail a'r brigau.

'Did you hear that?' gofynnodd un ohonyn nhw. Arhosodd y lleill a chlustfeinio.

Clywai Tomos gerddoriaeth o'u hamgylch. Roedd eneidiau'r goedwig yn chwarae eu hofferynnau.

Wrth edrych o'u cwmpas gwelson nhw fod y coed a'r planhigion wedi cau y tu ôl iddynt a bellach doedd dim modd dychwelyd.

'They're all around us,' meddai un o'r milwyr.

Roedd y tylwyth teg wedi ymgasglu o'u hamgylch, yn olau fel pryfed tân, eu hadenydd yn siffrwd a sŵn fel tincial clychau bach.

Clywodd Tomos waedd y tu ôl iddo ac wedi iddo droi gwelodd creadur fel gwiwer ddu yn llamu o ben boncyff ac yn crafangu am lygaid un o'r milwyr. Disgynnodd yntau a'i ddryll ar lawr gan ymladd i geisio tynnu'r cnofil oddi ar ei ben.

Rhedodd Tomos am ei fywyd oddi yno a chlywodd ynnau yn saethu ym mhob cyfeiriad y tu ôl iddo.

Symudodd y prysgwydd o'i flaen a fferrodd wrth i garw anferth lamu allan a chyrnio un o'r milwyr. Bloeddiodd hwnnw a syrthio'n bendramwnwgl i'r llawr.

Disgynnodd Tomos dros foncyff wrth geisio dianc a glanio yng ngwely'r afon fwdlyd. Ymlusgodd i fyny'r lan yr ochr arall a chropian ymlaen drwy'r isdyfiant a'i groen yn sgriffiadau i gyd.

Aeth ar ei bedwar drwy'r gors. Roedd y pryfaid yn dew yn yr awyr yna – ac yna gwelodd pam. Yn gorchuddio'r llawr, wedi hanner eu claddu yn y gors, roedd cyrff y derwyddon. Edrychodd Tomos i fyny a gweld mwy ohonynt yn crogi o'r coed uwchben, eu hwynebau'n las a'u llygaid yn syllu i nunlle.

Dechreuodd Tomos anobeithio, gan na allai ddianc o'r goedwig uffernol, ond yna gwelodd lygedyn o olau'r haul yn pefrio rhwng y coed o'i flaen. Herciodd tuag ato, a daeth at ymyl llyn eang.

Oedodd am hoe ar garped tew o fwsog, gan syllu o'i amgylch. Tyfai coed coch, mwsoglyd, anferth yn y llyn ac ymestynnai eu brigau'n drosto fel nendyrau. Rhyngddynt gallai weld awyr glir a'r heulwen yn tywynnu. Roedd yn lle tawel, tangnefeddus, ac anghofiodd Tomos am y frwydr a'r peryg y tu ôl iddo. Trochodd ei law yn y llyn a'i chodi at ei geg. Roedd y dŵr yn bur ac yn felys.

'Ychydig iawn o dy fath sydd wedi yfed o ffynnon y bywyd. Does dim un wedi byw i adrodd ei brofiad melys.'

Cododd Tomos ei ben. Eisteddai Cyrn-y-nos ynghanol y dŵr, yn arnofio arno fel pe bai'n solet, a'i goesau wedi'u plethu oddi tano. Roedd yn ei ffurf dduwiol, ei goesau'n flew i gyd a chyrn fel hydd yn brigo o'i ben. Roedd ei lygaid ar gau.

Estynnodd Tomos ei fag oddi ar ei gefn a chwilota am ei ddryll.

'Beth fyddet ti'n ei gyflawni drwy fy lladd i, fachgen?' gofynnodd Cyrn-y-nos yn dawel. 'Mae'n amhosib lladd natur – bydd fy had yn egino o'r newydd ar dir ffrwythlon, pan ddaw'r haf.

'Balchder dynol yw meddwl bod modd fy rheoli. Allwch chi ddim dinistrio natur, dim ond rhoi natur mewn sefyllfa lle nad oes ganddi ddewis ond eich dinistrio chi. Er enghraifft...'

Cododd Cyrn-y-nos rywbeth o'i gôl a'i ddal gerfydd ei wallt dros y dŵr. Pen Archdderwydd Caerbontllan ydoedd. Diferai ei gwaed ffres a rhedeg yn ffrydiau dros y dŵr llonydd. Rhoddodd Tomos ei fag ar lawr.

'Wyt ti yma i ddial am fywyd dy dad mabwysiedig?' gofynnodd Cyrn-y-nos drachefn. 'Nid malais wnaeth fy ysgogi i'w ladd, ond gwarchod y deyrnas a weli di o dy gwmpas.'

'Hen ddyn oedd e.'

'Roedd Dafydd yn hen ddyn ers cyn cof dynol. Mae angen hen ddyn doeth ar bob chwedl. Ond mae bywyd tragwyddol o'r fath yn felltith i rai. Nid yw'n hawdd gweld y rheiny yr wyt yn eu caru a'u casáu yn mynd a dod,' meddai Cyrn-y-nos. 'Fe groesaist ti'r afon sych honno ar y ffordd yma?'

'Do...'

Anadlai Cyrn-y-nos yn drwm, ond roedd ei lygaid yn dal ar gau. 'Dy fam oedd y nant honno, Tomos ap Cadell. Wedi ei dinistrio gan argae'r derwyddon i'r Gorllewin. Roeddwn i hefyd yn ei charu hi ar un adeg, wyddost ti. Ond fe ddois i'n ôl yn rhy hwyr i'w hachub. Pwy a ŵyr ym mha lecyn pell mae ei henaid hi yn awr?'

Wyddai Tomos ddim beth i'w ddweud. Roedd y llyn mor brydferth a thawel nes ei bod hi'n anodd meddwl am y rhyfel a'r gorthrymder y tu hwnt.

'Paid â meddwl dy fod ti'n ddiogel fan hyn,' meddai Cyrn-y-nos. 'Wedi'r cwbl rwyt ti'n dal i gredu mai fi yw'r gelyn.'

Teimlai Tomos ias yn cosi ei war. Trodd a gweld Ceridwen y tu ôl iddo; roedd un o'i bysedd wedi troi'n gangen bigfain ac yn pwyso yn erbyn ei wddf.

'Dywedon nhw y byddwn i'n eich lladd chi,' meddai Tomos.

'Mae'r chwedlau wedi newid. Dyna pam nad oeddet ti'n gallu trechu Mordecai – dyw pobl ddim yn credu fel yr oeddent bod y drwg yn cael ei gosbi megis cynt. Ond nid drwg yw natur, fe wyddost hynny.'

'Sai'n siŵr,' atebodd Tomos. 'Sai'n siŵr o ddim byd mwyach.'

Gwenodd Cyrn-y-nos gan ddangos rhes o ddannedd miniog. 'Roeddet ti'n iawn o'r dechrau, Tomos. Pan oeddet ti'n siarad gydag Angharad ar y traeth – do, fe glywodd fy ystlumod i'r cyfan – fy ddwedaist ti dy fod ti a Dafydd mor wahanol.'

'Fe allech chi ddinistrio Arthur,' meddai Tomos.

'Fe fyddwn i'n gallu dinistrio Arthur mewn ennyd, fel y gwyddost ti nawr. Ond pam y dylwn i fod eisiau gwneud hynny? Ti'n gweld, Tomos, fi wnaeth ddangos i'r derwyddon sut i atgyfodi Arthur o'i drwmgwsg yn y lle cyntaf.'

'Pam?'

'I ddysgu gwers i bobl y byd hwn. Ddegawdau yn ôl mi wnaethon nhw fy erlid i oddi yma. Roeddwn i'n wan ar y pryd – doedd y ddynoliaeth yn poeni dim am Natur. Ond nawr mae'r rhod wedi troi. Bellach mae pobl yn deall grym natur, ac yn gweld methiant gwareiddiad, methiant diwydiant, methiant crefydd.

'Tra oeddwn i yn eich byd chi fe welais i nifer o bethau – ffasgaeth, lladdfeydd y tu hwnt i'm dirnadaeth, artaith a gormes, y cwbl yn enw trefn a chynnydd. Rydw i wedi penderfynu achub y byd hwn rhag yr un ffawd. Atgyfodais i'r bwystfil, yr imperialydd Arthur, a chyn bo hir, gwyddwn y byddai'r bobl hyn yn ymbil arna i i ddod 'nôl, i ladd eu gormeswr. Mi fydden nhw'n sylwi y gallai rhyddid ac anhrefn fod yn bethau llesol yn lle'r Drefn.'

'Ond mae Arthur wedi'u caethiwo nhw'n barod,' protestiodd Tomos. 'Cyn bo hir bydd ei beiriannau'n cyrraedd y llannerch hon.'

'Mae fy nheyrnas i'n ddiogel. Wna i ddim ymyrryd nes bydd y ddwy ochr wedi dinistrio'i gilydd yn gyfan gwbl – ac na fydd dim oll yn weddill o'r rhyfelgwn ond cyrff i'm brain a'm tir i wledda arnynt.'

Agorodd y duw ei lygaid.

'Dos, blentyn. Mae'r frwydr yn galw arnat. Rydw i'n clywed y cyrn yn canu dros y bryniau.'

Trodd Tomos ei ben. Doedd Ceridwen ddim yno, ac roedd y coed wedi symud i'r naill ochr i greu llwybr iddo. Diflannodd y golau a dreiddiai drwy'r brigau uwchben a mygwyd y llyn dan gwmwl.

Dechreuodd Tomos ar ei ffordd oddi yno.

'Aros am eiliad,' meddai Cyrn-y-nos. 'Dwi'n credu bod hon yn perthyn i ti.'

Cododd ei fraich a hedfanodd tylluan wen o'r coed uwchben a glanio arni.

'Mae hi'n mwynhau ei ffurf newydd a dyw hi ddim yn barod i newid yn ôl yn berson eto. Ond pan ddaw'r amser hwnnw, rydw i wedi rhoi caniatâd iddi wneud y penderfyniad drosti hi ei hun.'

Cododd y dylluan o'i fraich a hedfan uwchben Tomos i gyfeiriad y llwybr.

'Dilyna hi, Tomos,' meddai Cyrn-y-nos. 'Mi wneith hi ddangos y ffordd i ti.'

Rhedodd Tomos ar ei hôl.

Am rai oriau dilynodd Tomos y dylluan ar hyd y llwybr a agorai o'i flaen yn y coed.

Yn y diwedd daeth allan o'r goedwig ar ben bryn uwchben dinistr gwersyll byddin Arthur. Oddi tano crwydrai rhai cannoedd o filwyr ymysg yr adeiladau parod a'r pebyll. Gwelodd Tomos fod yr haul eisoes yn machlud a'i fysedd gwaedlyd yn anwesu'r dyffryn.

Glaniodd y dylluan ar un o'r pebyll a hwtian arno fel pe bai'n galw arno i frysio, cyn codi ei hadenydd a hedfan i ffwrdd.

'Aros funud! Lle ddiawl y'n ni'n mynd?' gwaeddodd Tomos ar ei hôl, ond anwybyddodd y dylluan ef yn gyfan gwbl. Roedd hynny'n profi mai Angharad oedd hi, meddyliodd. 'Arafa dipyn bach!' gwaeddodd ar ei hôl. Dringodd fryn serth ac i mewn i'r coed unwaith eto. Ni allai weld y dylluan uwchben y canghennau uchel ac wrth iddo edrych fry bu bron iddo faglu ar draws ceffyl mawr gwyn a weryrai'n fygythiol arno.

Disgynnodd Tomos ar ei hyd yn y mwsog a bu'n rhaid iddo gropian yn ôl i osgoi carnau'r ceffyl. Ar ei gefn eisteddai marchog, ei arfwisg yn gyfoeth o addurniadau Celtaidd.

'Dyma'r cyntaf ohonyn nhw!' meddai a thynnu ei gleddyf o'i wain.

'Peidiwch â'm lladd,' meddai Tomos gan godi ei fraich.

Gostyngodd y marchog ei gleddyf. 'Cachgi! Dos i ymuno â dy gyndadau fel dyn!'

'Rwy wedi bod!' protestiodd Tomos. 'Doedd e ddim yn hwyl o gwbl.'

Roedd wyneb y dyn yn gyfarwydd rywsut, a chofiodd Tomos am yr wyneb ar y darn efydd yn ei boced. Llifai barf fawr wen i lawr brest y dyn. Yna sylwodd Tomos ar y tri chynffon ar gefn y ceffyl.

Gostyngodd y dyn ei gleddyf. 'Arglwydd Sgubor Goch, beth wyt ti'n feddwl o hwn?'

Edrychodd Tomos heibio i'r hen ddyn a gwelodd lu o farchogion eraill yn gorymdeithio tuag ato drwy'r goedwig. Carlamodd un ohonynt ato.

Pan welodd Tomos, neidiodd oddi ar ei geffyl a'i gofleidio ar lawr. 'Tomos!' meddai. Tynnodd ei helmed a sylweddolodd Tomos mai Dylan oedd yno, a dagrau yn llenwi ei lygaid. 'Sut yn y byd? Welais i ti'n cael dy gladdu.'

'Do, ti'n iawn,' meddai Tomos a chodi ar ei draed. 'Pwy yw'r rhain?'

'Marchogion y Gogledd.' Cyfeiriodd at y dyn barfog. 'Pan fuest ti farw fe deithiais i'r Gogledd gyda Nudd ap Rhath i agor ei chwarel, a dod at borth Dinas yr Eryrod... '

Pesychodd y marchog gyda barf hir y tu ôl iddo'n awdurdodol.

'Dyma Frenin y Gogledd, Gruffudd Glyndŵr,' meddai Dylan gan sibrwd, 'fe ddylet ti ymgrymu iddo.'

Penliniodd Tomos. 'Arglwydd, henffych well!'

'Cod ar dy draed,' meddai'r Brenin yn garedig. 'Mae Dylan wedi adrodd dy hanes. Er fy mod i bellach yn ddrwgdybus o ran o'i stori gan iddo honni dy fod ti wedi marw wrth herio'r Unben Mall o Dŵr y Penglog – mi gymeraf dy atgyfodiad ar drothwy'r frwydr fel argoel o'n plaid.'

'Mae'r hanes yn wir, ond rwy i wedi fy adfer yn awr i fyd y byw,' meddai Tomos gan godi. 'Yn yr is-fyd fe gwrddais i â'm tad – Cadell ap Trystan, un o'th farchogion ffyddlon.'

'A, Cadell, fe wasanaethodd ef fy nhad yn gydwybodol ffyddlon. Mae dy deulu di wedi bod yn fendith i Frenhinoedd y Gogledd ers cenedlaethau lawer – ers i'm cyndad Owain Glyndŵr deithio yma o diroedd pell, yn wir.'

''Dan ni'n mynd i ryfel,' meddai Dylan yn ddifrifol. 'Pan esboniais y sefyllfa wrthyn nhw, mi wnaethon nhw gasglu at ei gilydd a gadael ar unwaith.'

'Sut gwnest ti hyn i gyd mor gyflym?' gofynnodd Tomos. 'Dim ond ddoe ddiwetha y gwelais i ti.'

Syllodd Dylan arno'n ddryslyd. 'Roedd hynny ddeufis yn ôl, Tomos.'

'Daeth Dylan i weithio yn ein cegin ni, a dyfeisio'r ddiod fwyaf amheuthun ar ein cyfer, wedi'i chymysgu mewn preseb,' meddai'r Brenin. 'Wedi i mi ei blasu gofynnais o ble daeth y ddiod estron ac fe esboniodd ei fod yn Arglwydd ar Gantref Sgubor Goch, ble roedd y ddiod yn boblogaidd iawn. Fe estynnais gadair iddo ger fy mwrdd fy hun yn y fan a'r lle!'

Ffrwynodd y Brenin ei geffyl aflonydd.

'Ond nawr at faterion mwy difrifol,' meddai. 'Bydd amser i ddathlu gyda ystenaid yr un o "jin" ar ôl y frwydr. Mae ein hysbiwyr wedi canfod y gelyn y tu hwnt i'r bryn acw. Wyddost ti faint yw eu nifer?'

'Mae'n ddrwg gen i, Arglwydd, ond pe baech yn ymosod arnynt hunanladdiad fyddai hynny,' meddai Tomos. 'Mae ganddyn nhw arfau tu hwnt i'ch dirnadaeth chi.'

'Rydan ni wedi hen arfer ymladd yn erbyn arfau annynol ein gelyn, Mordecai, ac yntau wedi'u creu yn ei ffatrïoedd uffernol o dân a pharddu, fachgen,' meddai'r Brenin yn geryddgar. "Dan ni'n hen lawia ar faes y gad!'

'Dylan!' meddai Tomos. 'Ti'n gwybod beth maen nhw'n wynebu. Mae 'da byddin Arthur ddrylliau a lorïau.'

Gwasgodd Dylan ei helmed ar ei ben yn benderfynol. 'Ond mae gynnon ni ein harfau, Tomos. Gobaith, ffyddlondeb, a'r awydd am weld yfory i'r byd 'dan ni'n ei garu. Gwell marw heddiw na byw fel estroniaid ar ein tir ein hunain.'

'Clywch, clywch!' meddai rhai o'r marchogion eraill.

'Ti wedi newid, Dylan,' meddai Tomos.

'Dwi 'di bod yn gwrando *speeches* rhain, ia, con',' meddai Dylan yn falch.

Dringodd ar gefn ei geffyl a thynnu'i gleddyf o'i wain.

'Dewch â cheffyl i'r gwron hwn,' meddai'r Brenin wrth edrych ar wyneb Tomos. 'Fe wela i fachlud gwaedlyd yn ei drem.'

Daethpwyd â cheffyl a chleddyf i Tomos ac fe garlamodd yntau wrth ochr Dylan gyda'r gweddill ohonyn nhw, drwy'r goedwig i gyfeiriad goleuadau gwan Caerbontllan.

Wrth iddynt agosáu, teimlai Tomos fel y gwnâi ar un o

rollercoasters ei fyd ef – y dringo araf tuag at ben y bryn, cyn y plymio. Roedd ei ddwylo'n crynu a'i galon yn curo fel gordd.

Wrth ddod at ymyl y bryn gwelai Tomos wersyll Arthur ar waelod y dyffryn. Ni wyddai faint o farchogion oedd y tu ôl iddo – dau gant, efallai. Ond roedd cymaint â hynny a mwy o'u blaen a dryll yn llaw pob un. Ond doedd dim araith angerddol gan y Brenin i'w paratoi, na chyfle i droi yn ôl – clywodd y corn yn canu a bloeddiodd y milwyr ar eu ceffylau o'i amgylch. Croesodd ymyl y bryn ac yn sydyn roeddent yn disgyn.

Rhedai'r gwynt drwy'i wallt wrth i'r ceffyl daranu i lawr y bryn tuag at y gelyn. Ysgydwai pob asgwrn yn ei gorff wrth iddo gael ei daflu i bob cyfeiriad ar y cyfrwy. Ar bob ochr iddo curai cannoedd o garnau ceffylau fel tonnau daeargryn.

Roedd hi'n rhy hwyr i osgoi'r frwydr nawr. Teimlai rym amhosib ei atal yn ei hyrddio ymlaen. Ni allai neidio oddi ar ei geffyl heb gael ei rwygo'n ddarnau dan garnau'r ceffylau oedd yn ei ddilyn. Cafodd y milwyr eu dychryn gan yr ymosodiad disymwth ac fe gafodd rhai eu sathru gan y don o geffylau fel cwningod dan olwynion car. Ond yna dechreuodd y saethu.

Gweryrai rhai o'r ceffylau yn y tu blaen a disgyn yn bendramwnwgl gan luchio'u marchogion din dros ben i'r llawr o dan eu cyrff trwm. Gyda sŵn fel cenllysg ar do gwydr, trawai'r bwledi arfwisgoedd y milwyr.

Llywiodd Tomos ei geffyl drwy'r lladdfa gan amau mai lwc oedd yn bennaf gyfrifol ei fod yn ddianaf. O boptu iddo cwympai marchogion a gwasgarai eraill i bob cyfeiriad ar hyd y cwm wrth ymosod.

Tynnodd Tomos ei gleddyf o'i wain wrth agosáu at y gwersyll a tharo un o'r milwyr ar ei ben. Lwyddodd e ddim i'w glwyfo ond disgynnodd y milwr. Crynai'r cleddyf yn llaw

Tomos a bu bron iddo ei ollwng.

Trodd ei geffyl yn ôl heb iddo allu ei reoli a charlamu i ben arall y gwersyll. Plyciai Tomos yn wyllt ar yr awenau i geisio cael y ceffyl i symud ynghynt, ond yna clywodd ffrwydrad byddarol gerllaw iddo a neidiodd y ceffyl yn orffwyll gan ei luchio'n swp ar lawr.

Cododd ar ei draed â phob cyhyr yn ei gorff yn brifo. Edrychodd i gyfeiriad y ffrwydrad. O'r tu cefn i un o'r adeiladau daeth tanc i'r golwg. Trodd y tanc ei drwyn hir tuag at ben arall y gwersyll a chwythu torf o farchogion yn ddarnau. Hedfanodd rhannau o'u cyrff i'r awyr a glanio ar doeau llechi tai Caerbontllan, cyn llithro'n araf i lawr a chwympo i'r stryd islaw.

Roedd anhrefn o'i amgylch ym mhobman a welai e ddim golwg o Dylan. Roedd y milwyr wedi heidio yn eu cannoedd allan o'r adeiladau fel morgrug o dan garreg ac yn saethu'n wyllt at y marchogion a'u ceffylau.

Edrychodd Tomos i gyfeiriad y goedwig gan ystyried dianc. Roedd ei wroldeb wedi diflannu mewn ychydig dros ddau funud. Dianc? Tua'r porthwll? A allai gyrraedd yno mewn pryd heb gael ei weld na'i ladd? Doedd e ddim yn gwisgo arfwisg wedi'r cwbl.

Rhedodd ar hyd ochr y bryn gan obeithio osgoi llygaid y milwyr a chyrraedd waliau Caerbontllan. Yno gwelodd un o'r marchogion yn gorwedd yn swp yn erbyn wal a gwaed yn llifo o'i frest. Nid oedd yn edrych yn fawr mwy na phymtheg oed. Daeth pwl o euogrwydd dros Tomos, a phenderfynodd gyfrannu mewn rhyw ffordd fechan at y rhyfel cyn dianc â'i gynffon rhwng ei goesau.

Yna gwelodd Dylan ar faes y frwydr. Doedd hi ddim yn anodd – roedd yn llawer llai na'r lleill a doedd ei wallt ddim mor hir.

Rhedodd Tomos tuag at Dylan, heibio'r adeiladau parod

ac i ganol y frwydr. Gorweddai marchogion wedi'u saethu ym mhobman a'u cyrff yn rhidyllau gwaedlyd. Roedd hwn yn fath newydd o boen a oedd yn anghyfarwydd iddynt. Yn eu mysg gorweddai'r milwyr, gyda breichiau fan hyn a choesau fan draw.

'Dylan!' gwaeddodd Tomos. 'Dere 'da fi.'

Trodd hwnnw ei ben i syllu arno. Yr eiliad honno gwelodd Tomos filwr yn cuddio tu ôl i un o'r adeiladau parod, a hwnnw'n ceisio anelu at Dylan wrth iddo gael ei daflu o gwmpas ar gefn y ceffyl fel careiau rhydd ar esgid.

Cerddodd Tomos tuag at y milwr a phlymio'i gleddyf i'w fol. Er syndod iddo, suddodd y cleddyf miniog yn syth drwyddo. Agorodd ceg y milwr diymadferth a chwydodd waed dros ei ddillad. Suddodd ar ei liniau fel doli glwt wrth i'r golau bylu yn ei lygaid.

Rwy wedi lladd rhywun, meddyliodd Tomos. Cymro. Rhywun sydd â theulu yn rhywle. Pobl sy'n ei garu. Tynnodd ei gleddyf o'r corff a'i ollwng ar lawr.

Cododd ei ben a gweld Brenin y Gogledd yn carlamu tuag ato. Edrychodd ar y lladdfa o'i amgylch.

'Mae'r frwydr wedi'i cholli,' meddai'r Brenin. 'Mae yna ormod ohonyn nhw. Mi wnawn ni gwffio nes bod y dyn olaf yn disgyn ond fe ddylech chi ffoi. Gadewch i'r hen a'r musgrell farw'n anrhydeddus; fe ddaw eich tro chi cyn bo hir. Ffowch rŵan i Gaer yr Eryrod!'

Wrth iddo siarad trawodd bwled y llawr wrth eu hymyl a gweryrodd ceffyl y Brenin yn ofnus.

'Mi arhoswn ni,' meddai Dylan. 'Tydi'r frwydr ddim drosodd eto!'

'Mae bron pawb wedi'u lladd, Dylan,' meddai Tomos.

'Ti'n anghofio un peth, Tomos! 'Dan ni'n rhan o chwedl! Mae hi bob amser yn edrych yn ddu mewn chwedl ac yna mae rhywbeth yn digwydd a'r arwyr yn ennill y dydd!'

'Fe wnest ti ddweud hynny'r tro diwetha!' gwaeddodd Tomos yn gandryll. 'Does neb yn credu mewn diweddglo hapus i chwedlau rhagor, dyna ddywedodd Cyrn-y-nos!'

Cododd Dylan ei helmed, oedd wedi llithro dros ei wyneb. 'Rydw i'n credu!' meddai Dylan. 'A hyd yn oed os ydan ni'n cael ein lladd, beth ydy'r ots. *Piss-up* mawr ydy'r nefoedd, medden nhw! I'r gad!'

Cododd Dylan ei gleddyf tua'r nef. Ond yr eiliad honno fe glywyd sŵn utgorn yn atseinio yn y pellter. Troeson nhw tuag at y Gorllewin. Yng ngolau cynnes y machlud fe welson nhw hwyliau uchel, gwyn yn nesáu.

'Yr Ynyswyr!' bloeddiodd Brenin y Gogledd. 'Mae'r Ynyswyr wedi dod i'n hachub ni! Dydy'r rhyfel ddim ar ben!'

Tynnodd gorn o'i wregys a chwythu gyda'i holl nerth. O'u cwmpas, ymgasglodd y marchogion o'r newydd.

'Yr Ynyswyr!' gwaeddodd y Brenin gan amneidio tuag at y môr.

Bloeddiodd y marchogion eu cymeradwyaeth a gwasgaru dros y maes, gan ergydio a sleisio'u gelynion ag egni newydd. Gyrrwyd milwyr Arthur yn eu hôl tuag at y dref, lle buon nhw'n cuddio y tu ôl i adfeilion y waliau a saethu drwy'r tyllau cul.

Ond cyn bo hir tawodd y saethu ac fe glywon nhw weiddi croch o'r muriau uchel. O'r cyfeiriad hwnnw daeth yr Ynyswyr anferth, eu barfau mawr cochlyd yn ysgarlad gan waed eu gelynion, yn trywanu a thorri gyda'u bwyeill mawrion. Disgynnodd y milwyr olaf ar eu gliniau gan ymbil am dosturi.

'Dyma fo!' meddai un o'r marchogion a llusgo Arthur allan o un o'r bynceri fel cwningen allan o dwll. Taflwyd ef ar lawr o flaen y llu ar sgwâr y dref.

'Beth ydan ni am ei wneud gyda'r sinach yma?' gofynnodd y marchogion, gan dynnu llinellau ar hyd ei wddf gyda'u llygaid.

Dywedodd Brenin yr Ynyswyr ychydig eiriau yn ei iaith ef ei hun, ond doedd neb o'r marchogion yn ei ddeall.

'Ni yw pobol y Gogledd, o linach Glyndŵr, tywysog olaf Cymru,' meddai'r Brenin. 'A myfi yw ei etifedd, Gruffudd Glyndŵr. Oes un yn eich mysg sy'n siarad y Fabinogiaith?'

Yn ddigon anfoddog daeth un i'r tu blaen. Roedd ganddo delyn fwa yn ei law a chawell saethau dros ei ysgwydd.

'Ti!' bloeddiodd Brenin y Gogledd. 'Beth mae'r bwbach yma'n ei wneud yn eich tylwyth?'

'Ceredin!' meddai Dylan yn syn.

Gwelwodd Ceredin wrth weld Brenin y Gogledd yn bytheirio arno. Disgynnodd ar ei liniau.

'O! Arglwydd Gruffudd, fab Aergul Lawhir, ŵyr Cadwgon Trydelig, gorwyr Cyngen Glodrydd, gor-orwyr Cadell Ddyrnllug...'

'Cau dy geg!' meddai'r Brenin. 'Nid yw dy weniaith o ddim defnydd i ti mwyach, fardd. Dylwn i wneud lobsgows o dy geilliau!'

Tynnodd yr Ynyswyr eu harfau wrth glywed y dicter yn ei lais, ond yna safasant i'r naill ochr wrth i ferch wallt coch ymwthio i'r tu blaen a golwg herfeiddiol ar ei hwyneb. 'Wnewch chi ddim byd o'r fath!' meddai hi.

'A phwy yw'r lodes hon?' gofynnodd Brenin y Gogledd yn ddilornus. 'Lle mae ei gŵr neu'i thad, i siarad ar ei rhan?'

'Dwi'n medru siarad eich Mabinogiaith,' meddai hi'n ddigywilydd. 'Myfi yw Niahm, merch Brenin yr Ynyswyr. Chewch chi ddim cyffwrdd â blewyn o wallt Ceredin.'

'Beth yn union wnaeth o, beth bynnag?' sibrydodd Dylan

yng nghlust y Brenin.

Gwgodd hwnnw. 'Fe wnes i ei wahodd o i mewn o'r gwynt a'r glaw i'm llys i farddoni, a gynted ag roeddem wedi'n llorio gan y medd, aeth a rhoi ei bawennau poeth ar fy merch, y dywysoges!'

Syllai Ceredin yn ddyfal ar ei draed.

'Rwyt ti'n droseddwr di-werth ac mi fyddi di'n dawnsio dy ffordd i'r twmpath crogi cyn y wawr!' meddai'r Brenin drachefn.

'Digon teg, pe baech chi'n medru fforddio'i grogi,' meddai Niahm. 'Mae Ceredin yn rhan o'm tylwyth i nawr, ac fe dderbynion ni ugain o wartheg yn anrheg briodas.'

'Ugain o ych! Faint fyddai hynny mewn defaid yng Nghantref Sgubor Goch?' gofynnodd y Brenin gan droi at Dylan.

'Ym, tua tri chant dwi'n meddwl,' meddai hwnnw, gan geisio edrych yn wybodus.

'Damia!' ebe'r Brenin. 'Byddai'n rhaid i mi gribo pob mynydd yn y gogledd i hel ynghyd gymaint â thri chant o ddefaid. Does dim heddwch wedi bod rhwng y Fabinogwlad a'r Ynyswyr ers priodas Branwen, oesoedd yn ôl pan nad oedd y môr rhyngddon ni'n fwy nag afon. Mi wna i adael y bardd yn rhydd, os yw hynny'n plesio – ond os rhoddi di ben dy fys bach ar un o'm merched i eto, yna all pob buwch sy ar yr ynys ddim dy achub.'

'Diolch, Arglwydd,' meddai Ceredin yn sigledig.

Gwingodd Arthur ar lawr. 'Galla i roi mwy i chi, eich Mawrhydi!' meddai. 'Arbedwch fy mywyd, ac mi gewch bob dafad yn y Fabinogwlad a'r Tiroedd Coll!'

'Mi wna i arbed dy fywyd, Arthur,' meddai'r Brenin.

'Diolch, Arglwydd!'

'Dwi ddim am dy yrru 'nôl i Annwfn – rwyt ti wedi dianc

o'r fan honno unwaith yn barod. Gei di dreulio gweddill dy oes yn was i Fordecai yn y de! Mae o'n chwilio am rywun i fagu'i lydnod a bwydo Lob Sgows, ei Ddraig Drogen! Ewch ag ef o'm golwg i.'

Taflwyd Arthur i mewn i'r cart a'i lusgo ymaith yn ddiseremoni ac yntau'n sgrechian nerth esgyrn ei ben. Ond gwelodd Tomos ei fod wedi tynnu rhywbeth bach o'i boced, rhywbeth na fyddai'r lleill yn ei adnabod.

'Mae ganddo grenêd!' bloeddiodd Tomos a disgyn ar lawr tu ôl i adfail wal.

Tynnodd Arthur y pìn o'r grenêd gan chwerthin yn orfoleddus, yn barod i'w luchio i gyfeiriad Brenin y Gogledd. Ond roedd Ceredin yn rhy gyflym iddo. Cipiodd saeth oddi ar ei gefn a'i thynnu'n ôl yn erbyn tannau ei delyn fwa. Gollyngodd hi a chyn i'r taflegryn adael llaw Arthur trywanodd y saeth ef yn ei wddf. Byrlymai ffrwd leidiog o waed o'i drwyn wrth iddo ddisgyn ar ei gefn yn y cart, ei ben yn hongian am yn ôl dros ei ymyl ac yn syllu tuag atynt mewn braw. Cwpanodd y grenêd i'w frest fel pe bai'n beth annwyl, cyn y ffrwydrad llachar a ddallodd bawb am ennyd a'u taflu ar lawr.

Cododd yr Ynyswyr a marchogion y Gogledd ar eu traed yn araf a golwg flin ac ofnus ar eu hwynebau.

'All holl greaduriaid Annwfn ddim ei roi'n ôl at ei gilydd nawr,' meddai Gruffudd Glyndŵr yn brudd.

Cofleidiodd Dylan a Ceredin ac fe ysgydwodd Tomos ei law.

'Ro'n i'n meddwl na fyddet ti byth yn dod yn ôl!' meddai Tomos.

'Gwyddwn mai ein cyfle gorau fyddai codi byddin o Ynyswyr,' meddai Ceredin. 'Dyna pam ro'n i mor awyddus i ddod o hyd i Niahm.'

'Naci ddim, y celwyddgi,' meddai hi. 'Rodd hwn yn barod i ffoi ar gwch stêm Dewi'r Dewin i benrhyn y de tan i fi ei waldio dros ei ben.'

'Wel, y peth pwysig yw dy fod ti wedi gwneud y penderfyniad iawn yn y diwedd,' meddai Tomos. 'Sut gwnaethoch chi ffoi rhag Mordecai, beth bynnag?'

'Diolch i dwpdra Dewi'r Dewin,' meddai Ceredin. 'Ceisiodd arddangos ei ddyfais denu mellt trhudan i Mordecai, heb sylwi bod y tŵr cyfan wedi'i naddu o un graig anferthol. Maluriodd yr holl beth yn ulw a bu'n rhaid i ni ddianc gyda Mordecai'n bytheirio a melltithio ar ein hôl...'

Edrychodd o amgylch y strydoedd maluriedig. 'Da oedd hynny, ond mae'n siom gweld Caerbontllan yn y fath gyflwr. Gobeithio y gall y derwyddon sy'n weddill dorchi llewys a mynd ati i ailgodi'r hen le.'

'Y'ch chi wir yn moyn cael y derwyddon yn ôl?' gofynnodd Tomos.

'Mae ychydig o Drefn, yn ei le, yn beth da,' meddai Ceredin. 'Bydd Caerbontllan yn codi eto fel y gwnaeth hi cynt – dim ond llan fechan oedd yma i ddechrau, a dinistriwyd honno gan y derwyddon. Nhw gododd y bont a chwalwyd gan Cyrn-y-nos, ac yna adeiladwyd muriau'r dref. Gobeithio y byddan nhw'n dysgu eu gwers y tro hwn.'

Fe arhosodd Tomos yn y Fabinogwlad am wythnos arall cyn penderfynu dychwelyd i'w fyd ei hun. Ddeuddydd ynghynt daethai Dylan i ffarwelio ag ef cyn ymadael gyda llu'r Brenin tua'r Gogledd.

'Does gen i ddim byd i ddychwelyd ato yn y byd arall,' meddai. 'Yn y byd hwn dwi'n teimlo bod rhyw werth i mi – do'n i'n werth dim i neb yng Nghymru. Rydw i am agor tafarn bach yng Nghaer Eryrod a gwneud fy mhres yn gwerthu jin i farchogion y llys. A marchogaeth i'r gad yn ôl yr angen! Gwnawn ni weld ein gilydd rywbryd eto, 'yn gwnawn?'

Ffarweliodd Tomos â Ceredin hefyd, ac yntau ar fin hwylio i ffwrdd gyda Niahm.

'Mi fyddwn ni'n ymweld â 'nheulu innau ar draws y culfor tuag at foth y byd, lle mae tylwyth Karadog yn byw a bod, cyn dychwelyd i Ynys y Gorllewin,' meddai. 'Un antur olaf...'

'Wedyn, bywyd o heddwch a ffermio, a dim mwy o grwydro!' meddai Niahm, wrth ddringo i mewn i'r cwch.

'Wneith hynny ddim para'n hir – ei syniad hi oedd dod i'ch achub chi wedi'r cwbl,' sibrydodd Ceredin. 'A dweud y gwir, dwi'n meddwl ei bod hi'n hanner gobeithio y gwelwn ni Dewi'r Dewin eto ar y ffordd yn ôl.'

Ffarweliodd yr Ynyswyr hefyd a chyn bo hir Tomos yn unig oedd ar ôl yn adfeilion Caerbontllan. Cerddodd i fyny'r bryn tuag at y porthwll a chamu dros y polion a'r ffensys metel ac yn ôl i mewn i'w ystafell fyw.

Heblaw am lanast milwyr Arthur, a oedd wedi symud y dodrefn a rhwygo'r carpedi, roedd tŷ ffarm Pen-y-bryn, yr Hen Ffermdy, a'r pentref yn union 'run ag yr oedden nhw pan adawodd Tomos. Am gyfnod credai mai ef oedd yr unig fod dynol oedd ar ôl yn yr holl fyd. Doedd neb yno ond fe a'r defaid.

Un pnawn edrychodd drwy'r ffenest a gweld tylluan wen yn eistedd ar gangen coeden gyferbyn ag ef. Edrychai fel pe bai hi'n wincio arno cyn lledu ei hadenydd a hedfan i ffwrdd. Welodd e mohoni wedyn.

Ai dyma sut roedd Dafydd wedi teimlo erioed, meddyliodd. Oedd hwnnw wedi mynd drwy'r un profiad ag ef, wrth gario baich enbyd anfarwoldeb? Wedi colli ffrindiau a chariadon gyda threigl y blynyddoedd a gweld yr holl beth yn rhy boenus i'w wneud dro ar ôl tro, a phenderfynu cilio i'w gragen?

Wrth i'r wythnosau lusgo heibio gallai weld ei ddyfodol yn glir o'i flaen. Byddai'r hen chwedlau yn diflannu dros amser. Un diwrnod ef fyddai'r olaf i'w cofio, a byddai'n camu trwy Ddrws Dychymyg a hwnnw'n cau y tu ôl iddo am dragwyddoldeb.

Myfyriai ar hyn un diwrnod o wanwyn wrth iddo gerdded am y canfed tro drwy bentref Pen-y-graig. Crwydrodd allan o'r pentref a heibio'r hen gaeau corsiog a'r Maen Hir lle gosodon nhw'r babell amser maith yn ôl, a thros y lôn tuag at Lyn y Stôl.

Ni fuasai yno ers y noson honno gydag Arthur a'r Archdderwydd a cherddodd heibio i'r hen bwll heb roi eiliad o sylw iddo. Ond yna gwelodd drwy gil ei lygad ryw gynnwrf yn y dŵr.

Gwelodd y cleddyf yn codi o'r pwll, a'i fin yn fflachio'n danbaid yn yr haul. Yna sylweddolodd nad oedd yn rhaid iddo ddisgwyl i'r chwedlau ddiflannu, ond y gallai ef arwain y Cymry a sicrhau eu parhad.

Ond, fel Arthur gynt, byddai'n rhaid iddo fod yn fwy na dyn meidrol. Byddai'n rhaid dal dychymyg pobl. Byddai'n rhaid iddo fod yn ffigwr chwedlonol.

'Cyfrifoldeb,' meddai wrtho'i hun, ac estyn am y cleddyf.

Am restr gyflawn o lyfrau'r wasg,
mynnwch gopi o'n Catalog newydd, rhad
– neu hwyliwch i mewn i'n gwefan

www.ylolfa.com

i chwilio ac archebu ar-lein.

TALYBONT CEREDIGION CYMRU SY24 5AP
e-bost ylolfa@ylolfa.com
gwefan www.ylolfa.com
ffôn (01970) 832 304
ffacs 832 782